別冊クライテリオン *criterion*

「中華未来主義」との対決

JN104607

はじめに
「中華未来主義」とは何か？

表現者クライテリオン編集長　藤井 聡

近年、欧米社会では急速にその国勢を拡大・膨張し続ける中国の脅威に対する危機感と並行して、ある種の「憧憬」、すなわち、「中国にこそ、我々人類の未来の姿があるんじゃないか」という気分が急速に広まりつつあります。こうした気分、ないしは考え方は今**「中華未来主義」**、**サイノ・フューチャリズム**（**Sinofuturism**）と呼ばれ始めているのですが、これは俄に我が国日本でも広がりつつあります。本特集は、地政学的に中国の影響から逃れることが困難な我が国日本において、この中華未来主義といかに対峙し、対決していくべきかを考えようというものです。

確かに中国にはかつて、「人民服を着て皆自転車に乗っている」というイメージがありましたが、それもはるか昔の話であり、今はすさまじい発展を遂げ、技術的にも経済的にもすごい勢いで成長し続けています。そして、政治的な影響力も、軍事力も抜本的に強くなった。一方で、いわゆる西側諸国では、「没落する西洋」「引き籠もるアメリカ」そして、「失われた日本」という形で、日米欧それぞれが激しく停滞し、自分たちに対する自信を失い始めています。しかも、中国こそが感染源であったはずの新型コロナウイルスのパンデミックについても、中国はいち早く収束させた一方で、世界中の国々が大混乱に陥ると共に激しい不況に見舞われています。結果、このコロナショックによって、中国の相対的プレゼンスはさらに拡大しつつあります。だから、日米欧で中国を憧憬の眼で見てしまう中華未来主義の勃興は半ば、必然的とすら言いうる訳です。

しかもこの「中華未来主義」には、中国とは必ずしも関連のない様々な世界的な思想的潮流と密接に関わっており、それらに後押しされ、刺激される形で、中華未来主義がさらに加速的に拡大しているという背景もあります。

一つは、産業革命以降進んできた近代化を、AI等の最新技術を使ってさらに加速していくことが正しい方針だということを主張する**「加速主義」**(アクセラレーショニズム／accelerationism)。この加速主義は必然的に中華未来主義につながります。

あるいは、民主主義の国々が停滞しているという現状を鑑み、「民主主義を乗り越えた反動的な運動こそが今、求められている、古い民主主義にこだわっていることは害悪だ」と主張する**「暗黒啓蒙」**(ダーク・エンライトメント／darkenlightenment) あるいは**「新反動主義」**(ネオ・リアクショニズム／neoreactionism) もまた、必然的に中華未来主義を肯定するものです。

さらには、AI等の最新技術を徹底的に進めれば、あらゆる問題が解消していき、政治そのものの必要性がどんどん縮小していくという**「脱政治化」**を肯定する人々もまた中華未来主義者となる。

ただし、こうした最近の思想上のキーワードを一つも用いなくても、技術革新を強調する**「産業革命」**と、ある種真善美よりも人心や世論を重視する**「フランス革命」**によって始まった**「近代・モダニズム」**の延長線上にこの中華未来主義があると捉えることもできるわけで、中華未来主義を何も真新しいものじゃないと考えることもできる。ただ、それが中国という地理的空間にて加速している、というだけの話なわけです。

ただし、近代主義のワン・ヴァージョン(一形態)に過ぎないこの中華未来主義にも、もちろん、「固有性」がある。しかもその固有性はかなり厄介な固有性です。そもそもこれまでの近代主義は欧州で生まれたわけですが、その欧州は近代主義のみならず、その「弊害」や「危険性」を緩和、中和するための「保守思想」なり「社会主義」「共産主義」なりというものも同時に生み出してきた。そして、近代主義が欧州文化の中で発展していこうとする限り、保守思想なり社会主義なりがその「足かせ」となり、近代の爆発的進展というのは抑制されていた。一方で、その近代主義が大西洋を渡って欧州からアメリカ大陸までやってくると、そうした足かせが随分と軽くなり、近代が加速しやすくなった。とはいえ、アメリカにはヨーロッパ思想が濃密に影響してもいましたから、近代主義は完全に自由になるということはできなかった。

しかし、その近代主義が中国にまでやってくると、そこには、欧州の足かせが何もない。もちろん「共産主義」が足かせとなっていた側面もあったが、改革開放路線の中でその軛《くびき》も完全に取り払われた。結果、底が抜けた格好で、「何でもアリ！」となっているのが、「中華未来主義」の特徴となっているわけです。

ところで、こうして拡大してきた中華未来主義ですが、我が国でも雑誌『現代思想』の「加速主義」の特集でも取り上げられる等、注目を集めつつある状況にあるのですが、その論調は必ずしも批判一辺倒ではなく、中立的な紹介や肯定的に捉えるものももちろん含まれていました。

ただし今回の我々の特集は、中華未来主義との「対決」ということで、やはり人間の生や実存というものの「正反対」にある概念として中華未来思想があると定位し、徹底的に「批判的」に論じていこうとするものです。こうした批判によって、「中華未来主義」の輪郭がより明確なものとなり、その上で、我々が現代人として、そして日本人として、歴史的地政学的な現実にしっかりと向き合いながら、今後の進むべき道が指し示されることになるのではないかとの期待に基づいて、この特集が企画されたわけです。

別冊クライテリオン *criterion*

「中華未来主義」との対決

第4部　現代中国の「想像力」を読む　

第5部　中国のプロパガンダ戦略に対抗する　163

第1部

ポストコロナ

中国化する世界

與那覇 潤
藤井 聡
柴山桂太
浜崎洋介
川端祐一郎

西洋型、日本型民主主義は
魅力を失ったのか。
しかし、既存社会に対する不満から、
急速な発展を遂げる中国を寿ぐ
「中華未来主義」に憧憬するのは危険だ。

「中国化する日本」という現象は認めざるを得ない

與那覇▼中国の大国化自体は長らく指摘されてきた現象で、歴史的には一九七〇年代末、鄧小平が実権掌握した頃が「台頭」の起点になります。毛沢東の死に伴って文革を止め、復権した鄧はやがて「社会主義市場経済」と呼ばれるような、実質的な資本主義化へと舵を切った。ここから始まると捉えるのが通説です。

私が二〇一一年に刊行した『中国化する日本』(現在は文春文庫)の基になった大学の講義は、〇八年の四月から始めたもの。本の原型になる論文も、〇九年三月に紀要に掲載しています。

当時印象的だったのは、まず「中国化」という言葉を使った時点で学生が教室から減っていったこと(笑)。実際、著書を出した後もSNSでよく「中国を評価しすぎだ」「中国礼賛で、けしからん」というお叱りが届いたのですが、どうも「中国化」と言うだけでコイツは中国を褒めていると、そういう印象を与えるらしい。私の授業も本も、日本や世界が「中国社会のような状態に似ていく」ことを描写しているだけで、価値判断からは距離をとっていたのですが。

ここで大変面白いのは、昨今話題の「加速主義」という言葉も同じ二〇〇八年頃に生まれて、やはり当初は礼賛する趣旨はなく、むしろそうした傾向を批判するための概念だったそうですね。

冷戦下の標準的な左翼が「資本主義にストップを!」と主張したのに対して、ポストモダン的なニューレフトは「そうではない。資本主義をむしろ徹底することでこそ、今の資本主義の欠陥は克服できる」とする立場をとりました。

典型とされるのはドゥルーズとガタリですが、もともとはそうした彼らの主張を「加速してアクセルを踏み続ければ、新たな道がいつか開けるみたいな考え方はおかしい」と再批判するために、〇八年頃から加速主義という用語が使われ出したわけです。

ところがいま起きているのは、そうした当初は批判性を持っていた概念が、現状肯定の道具になっている。加速主義は「現代思想の世界で流行りの、イケてるポジション」に近づきつつあるし、中華未来主義の中には明白に「西洋型の民主主義はもはや非効率なんだ。競争に勝つには中国モデル!」と唱える一派もある。私が中国化といった頃は叩かれたのに、いまや深《しん》圳《せん》の成功に学べ、若者は日本企業よりファーウェイに就職しろみたいな記事が、ビジネスサイトに平気で載るわけです。

最初は「ちょっとどうなんだ？　落ち着いて検討しよう」という問題提起だったものが、十年経つと批判性を失い、「何を躊躇《ためら》っているの？　この潮流に乗ろうぜ」とする通俗化が起きる。逆にいうとそれだけ西洋モデル、日本モデルが魅力を失ったのが、二〇一〇年代の十年間だったのかなと感じます。

浜崎▼そこですね。「中華未来主義」と、與那覇さんの『中国化する日本』をつなげて議論することができればと思うんですが、まず背景として確認すべきなのは、『西洋の自死』のダグラス・マレーがいう「西洋の疲弊」という現実ですよね。

欧米世界は、今、「国民国家」の枠組みを超えて唱えられた「人権」、「寛容」、「多様性」などの「啓蒙的理念」によって、ネオリベラリズム（資本主義）や移民の暴走を許し、さらにPC（ポリティカル・コレクトネス）の過剰によって、そんな現実を批判する「自由」さえ失ってしまっているように見えます。しかし、だからこそ、マレーは、改めて「人権」や「寛容」や「多様性」の基礎にあったはずの共同体や国民的伝統に改めて目を向けようというわけです。

ただ、そこで「加速主義」は逆のことを主張する。「啓蒙的理念」が不自由をもたらしたのだとすれば、「人権」、「寛容」、「多様性」を否定しよう、そして、それらを保障している国民国家や民主主義も否定して、自由だけを、つまり資本主義を加速しよう、そうすれば、いつか資本主義自体をも乗り越える瞬間（シンギュラリティ）がやってくるはずだ。そして、そのために、〈人間〉を超えた〈超人〉（ニーチェ）たちの加速主義国家＝中国を寿《ことほ》ごうというわけです。それが、いわゆる「新反動主義」「オルタナ右翼」の主張にもつながってもくる。

でも、こういう話は、近代このかた何度となく繰り返されてきた、文字通り「しょうもない」話

與那覇 潤（よなは・じゅん）

79年神奈川県生まれ。東京大学教養学部卒業、同大学院総合文化研究科地域文化研究専攻博士課程修了。博士（学術）。地方公立大学で7年間教鞭をとったのち、重度のうつ状態による休職を経て17年に離職、現在は在野で活動。18年に刊行した『知性は死なない　平成の鬱をこえて』は、自身の体験に基づく独自の平成史／大学論として話題になった。学者時代は日本近代史を専門とした。講義録『中国化する日本』『日本人はなぜ存在するか』ほか、著書多数。20年、『心を病んだらいけないの？』（斎藤環と共著）で小林秀雄賞受賞。21年にコロナウイルス禍の時評集『歴史なき時代に』と、ライフワーク『平成史』を刊行。

としか言いようがない。たとえば、ベンジャミン・ノイズが「加速主義」を「大学院生の病」だと言ったらしいですが、僕なんかには、正直「アホな中二病」にしか見えません（笑）。

ただ一方で、確かに、「中国的なるもの」がここまで膨張してくると、彼らがいう「中華未来主義」の理念も無視できなくなってくる。実際、中国は、共産主義体制を維持したまま、経済的・技術的な成長を成し遂げ、今や世界第二位の経済大国になってアメリカと対抗しつつあります。つまり、今後、アメリカの退潮が予想される中で、これから日本が対峙することになるのは、間違いなく中国であり、そうである以上、曲がりなりにも「国民国家」を営んできた日本は、膨張する「中華帝国」と、それを寿ぐ「中華未来主義」に対して、どのような態度で立ち向かうべきなのか、その思想が問われることになるわけです。

で、ここから、與那覇さんの議論につなげていきたいんですが、與那覇さんの書かれた『中国化する日本』は、先ほど指摘があったように、「中国化」を絶賛している本ではなくて、ただ、それが不可避的な過程なんじゃないかと問われているわけですよね。ただ、読んでいると、逆説的というか、不思議だったのは、むしろ「日本は中国化しないんじゃないか」という感想が出てくるところです（笑）。というのも、與那覇さんの本は、「中国化するチャンスが何度もあったにもかかわらず、中国化していない日本の歴史」としても読めるからです。

まず、與那覇さんが提示されるのは、「西洋型民主主義」「日本型民主主義」「中国型徳治主義」の分類ですよね。

「西洋型民主主義」というのは、統治―被統治の関係を、契約、ルールによって拘束するというものです。まず王権に対する貴族たちの抵抗があって、そこから公平な裁判を求める形で「法の支配」が定着し、不当な逮捕や財産没収に対する抵抗から「基本的人権」が生まれ、さらに、恣意的な増税や戦争に対する対抗手段として「議会制民主主義」が整えられていった。これらの要素が、西洋においては、国家と国民の緊張関係をもたらし、結果として「国民国家」における契約関係を可能にしたのだと。

対して、「日本型民主主義」というのは、統治―被統治の関係が「協力関係」になっているといえば聞こえはいいけれど、要するに共同体の「拘束」によって成り立っている。つまり、日本人は藩とか村とか家に所属することによって、自分の生活を守ってきたわけで、ただ、そうすると王権と貴族との対立―議論の伝統がない分、「議会政治」や「法の支配」は弱くなり、逆に、法の解釈を柔軟に変えながら事に対処するという「行政権力」が強くなる。よくいえば、日本は国家と国民の「折り合い」によって成り立ってきたわけですが、それは、いつでも「馴れ合い」にも転化するものなのだというわけです。

というように、「西洋型」も「日本型」も国民国家の伝統を持っているわけですが、それに対して、「中国型徳治主義」というものは、それらとは全く違うものです。つまり、統治―被統治の関係を完全に分離した上で、権威（イデオロギー）を独占した統治権力が、人民を管理するというパターンですね。政治というのは特権的な支配者、皇帝だけが営めばいいので、国民ならぬ人民は、そのパターナルな恩恵によって、経済的自由と物質的利便性を享受しておけばいいのだと。こうなると、権威＝権力なので、共産党支配とも親和性が高いし、経済的自由も徹底するので、ネオリベラリズムとも相性がいいということになる。

ただ、私利私欲を追求する庶民はアナーキー（無政府状態）になりがちなので、それにタガをはめる必要も出てくると。それが、昔であれば「思想統制」だったのでしょうが、今や、「環境管理」のアーキテクチュア（ＡＩ）が、それにとって代わり始めているわけです。

藤井 聡（ふじい・さとし）

68年奈良県生まれ。京都大学卒業。同大学助教授、東京工業大学教授などを経て、京都大学大学院教授。京都大学レジリエンス実践ユニット長、2012年から2018年までの安倍内閣・内閣官房参与を務める。専門は公共政策論。文部科学大臣表彰など受賞多数。著書に『大衆社会の処方箋』『〈凡庸〉という悪魔』『プラグマティズムの作法』『維新・改革の正体』『強靭化の思想』『プライマリーバランス亡国論』『「自粛」と「緊縮」で日本は自滅する』。共著に『デモクラシーの毒』『ブラック・デモクラシー』『国土学』など多数。「表現者塾」出身。「表現者クライテリオン」編集長。

最後にまとめておくと、だから、この與那覇さんが提示された三類型の歴史を振り返りながら、問わなければならないのは、この「中国的なるもの」の拡大・覇権に対して、日本はただ手をこまねいて見ているだけでいいのか、あるいは、本当に、それに飲み込まれてしまっていいのかという問いなんだと思います。もちろん、私個人は、それに対しては徹底的に抵抗したいわけなんですが（笑）、そのあたりのことを、議論できればと思っています。

日本は中国化して、「社会」や「公共」が溶け出した

與那覇▼かつて拙著で提示した歴史観を、体制比較の観点でまとめてくださりありがとうございます。おっしゃるように『中国化する日本』は、いわば社会構造の比較史ですね。ヨーロッパ、日本、中国という三極のモデルを立ててみると、とにかく日本と中国は社会構造のあり方が正反対。ただしどちらも「西洋と異なる」という点では同じで、どちらがより巧みに西洋をコピーして台頭しうるかは、時代によって異なる。こうした世界像の把握が前提にあります。

そしてここが中国礼賛に聞こえるのかもしれませんが、歴史上、中国はあまりブレない。逆に日本は中国から経済的・思想的なインパクトを受けて、しばしば社会が変動する。たとえば明治に作られて戦前は国のすみずみまで普及した教育勅語、あれは儒教道徳です。単なる権力者ではなく、道徳的な優位者である皇帝（天皇）の教えに従って秩序をもたらそうと。これは中国の儒教社会の発想で、儒教を共産主義に置きかえれば今の人民共和国になる。

ところで私の本についての誤解はもう一つあって、実は思われているほど売れてないんですよ（笑）。その理由は単純で、社会全体の構造を「抽象的にモデル化する」行為自体が、多くの読者にとってはもう、よく分からないんだと思います。たとえば「国民と国家」といわれても、「それって同じものじゃないんですか」と思ってしまうくらい、社会科学的な教養が死に瀕している。資本主義も漫然と「お金儲け」くらいの意味にみんな思っていて、レジーム（体制）としては捉えていない。

中国化した社会の特徴を一つピックアップすると、「庶民は全体を見渡そうとしないで、自分のことだけ考えてビジネスにいそしめ」ですね。一党制というシステム自体がどうなのか、なんていう社会の全体図は考えずに、商売だけやっている分にはし放題で儲かりまっせと。

藤井▼だから、日本が中国化すればするほど、難しいことが分かんなくなっていって、自分たちの社会構造が中国化してるってことがますます分からなくなってしまってるわけですね。

與那覇▼そういうことです（笑）。これはかなり強力なコンボで、庶民のエートスの中国化と、政治権力の中国化が相互に強化しあっている。

だから『中国化する日本』という啓蒙の戦略はあまり成功しなかったのですが、それならむしろ、「個人目線」で中国化を語って伝えやすくする戦術もあるのかなと、最近は感じています。

当時並行して書いた論文をまとめた新刊『荒れ野の六十年』（勉誠出版）に収めた例ですが、戦前に内藤湖南が中国社会を描くとき、「馬賊」に注目しました。馬賊に払うみかじめ料が税金より安いなら、公式な政府より馬賊を頼ればいいや――これが伝統的な中国人の国家観だと。

たとえば今、「ＮＨＫってつまんないくせに受信料高すぎ。Ａｍａｚｏｎプライムの方がラインナップ充実で安い！」と感じている日本人はかなり多い。それこそが中国化ですよと、そういう語り口の方が直感的に伝わるのかもしれません。

藤井▼なるほど、今の日本は、もうすでに日本型民主主義が形骸化して中国化して、個人がもはや砂粒みたいにバラバラになってしまっているから社会全体のことを見渡すような志向性をなくしちゃった、だから社会の問題も庶民目線で話さないと何も伝わらなくなってきてるんじゃないか、っていうことですね。

與那覇▼先ほどの浜崎さんのまとめはおおむね的確なのですが、気になったのは「統治者と被治者の分断」に関しては、中国だけでなく日本も似たところがありませんか。

なぜＮＨＫの受信料は払いたくなく、消費税が上がるのが嫌か。それは税（や受信料）を「公共サービスの原資」ではなく、一方的な収奪だと受け止めているからですね。つまり徴収者（＝国家）は自分たち被治者とは別の存在だ、と感じている。

浜崎▼たとえば、江戸期の庶民にとっても政治というのは「お上」のものでしかなかったんでしょうが、與

柴山桂太（しばやま・けいた）

74年東京都生まれ。京都大学経済学部卒業。同大大学院人間・環境学研究科博士後期課程退学。滋賀大学経済学部准教授を経て、現在、京都大学准教授。専門はイギリスを中心とした政治経済思想。編書に『現代社会論のキーワード』など。共著に『ナショナリズムの政治学』『グローバル恐慌の真相』『「文明」の宿命』『TPP黒い条約』『まともな日本再生会議』『グローバリズムが世界を滅ぼす』など。著書に『静かなる大恐慌』。新共著に『グローバリズム その先の悲劇に備えよ』（集英社新書）。

那覇さんも書いているように、それでも武士たちは、「主君押し込め」（行跡が悪いとされる藩主を、家老らの合議による決定により、強制的に監禁する行為）などによって、分離を超えたガバナンスシステムを作ろうとしていた。庶民レベルでは、「ムラ」や「イエ」単位での政治はあったのかもしれませんが、今や、それさえなくなっていて、むしろ「中国化」が加速しているという言い方はあるのかもしれませんね。

與那覇▼ええ。たとえば二〇一九年にＮ国（ＮＨＫから国民を守る党）が参院選で議席を獲得したことがありましたが、これはまさに「どうせ俺らは金とられるだけだ」とする意識の表明です。

藤井▼日本人の公共性の概念が、ほぼ完璧に人々の精神のうちから溶け落ちてしまったんじゃないかと。

與那覇▼国に一応は期待する。その分、税金の使い方をしっかり監視しようというのが欧米型の市民社会の理想でしたが、そもそも政治自体に日本人が幻滅する中で、リアリティを持たなくなってきました。

藤井▼確かに日本は中国化して、もともとどれだけあったのか分からない公共の概念をあらかた失ったんだろうと思いますが、おそらくアメリカにもヨーロッパにも似たようなことがあるように思います。たとえば彼らの「タックスペイヤー・マインド」は我々日本人よりも高いでしょうが、昔に比べれば確実に低減しているところがある。

柴山▼タックス・ヘイブンとかありますからね。

藤井▼そうです。その意味で欧米も中国化しているという面はある。その現象を社会科学的にいうと、社会全体がこの百年とか二百年の間に「大衆化」してきたことを通して、各国の伝統に基づくガバナンスシステム（統治機構）が、溶解してきた、といえるのだと思います。

しかし、こうして日本、中国、欧米が似てきているという現象はあるとはいえ、違いももちろん明確にある。たとえば、アメリカ、日本、中国のリーダーたちに対する認識は各国で全然違っているように思います。

與那覇▼微妙ですね。トランプと習近平では米国の大統領も中国の国家主席も大差なさそうです（笑）。

国民国家あらざる中国は、グローバル化した世界で必然的に拡大した

與那覇▼ところで『中国化する日本』を出した時に一

番多かった批判は、「アメリカ化する日本、なら分かる」というものでした。いわゆるネオリベ化の同義語として、アメリカ化と呼ぶのは理解できるけど、中国化という用語法はあり得ないと。

　しかし米中両国は、高い「権威性」を帯びたリーダーが、砂粒のような個人の群れを、巧みに煽《あお》ってまとめていく点では類似している。アメリカの大統領選だって、予備選の流れ次第で猛烈に振れ幅の大きい候補者が残ってしまうでしょうと。しかし当時はトランプ以前なので、SNSでこうお答えすると炎上しました。「民主主義の同盟国アメリカと、仮想敵国の独裁中国が同じだなんて、お前バカか」と（笑）。

柴山▼私は経済のフィールドにいて、そこでは中国は「国家資本主義」の代表みたいな語られ方がされています。欧米型の自由主義的な市場経済と比較して政府介入が強力なタイプの市場経済が中国型だというわけです。ただし、「国家資本主義」のルーツは戦後日本だともいわれる。日本が最初に成功して、次に韓国や台湾が成功して、そのモデルの延長線上に中国が出てきたという、そういう大雑把な理解があった。

與那覇▼開発独裁ですね。

柴山▼確かにそういう面もあるんだけれど、ハジュン・チャンも指摘しているように、欧米諸国だって政府介入によって資本主義を立ち上げてきたし、現にアメリカの資本主義は今も国家の強力な支えを必要としているわけで、「国家資本主義」というのは程度の差でしかない。それよりも重要だと思うのは、中国が二十世紀後半からのグローバル化の時代に台頭してきたということではないか。つまりグローバル経済への適応度が非常に高いというところに特徴があるんじゃないか、と。

　戦後の日本経済は、実は輸出に対する依存度はGDPの一〇％もないような、極めて内需中心型でした。もちろん原材料輸入や輸出は不可欠な部分としてあるんだけれども、基本は内需型の発展モデルだった。そ

浜崎洋介（はまさき・ようすけ）

78年埼玉生まれ。日本大学芸術学部卒業、東京工業大学大学院社会理工学研究科価値システム専攻博士課程修了、博士（学術）。文芸批評家、日本大学芸術学部非常勤講師。著書に『福田恆存 思想の〈かたち〉イロニー・演戯・言葉』『反戦後論』。共著に『アフター・モダニティ 近代日本の思想と批評』、『西部邁 最後の思索「日本人とは、そも何者ぞ」』（飛鳥新社）など。編著に福田恆存アンソロジー三部作『保守とは何か』『国家とは何か』『人間とは何か』。近著に『三島由紀夫 なぜ、死んでみせねばならなかったのか』（NHK出版）がある。

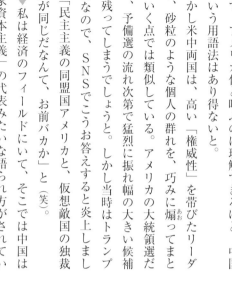

のため経済発展に伴って平等化も進んでいくという現象も見られた。

しかし中国の経済成長は、リーマンショック前だとＧＤＰの四〇％が輸出に依存するという、輸出指向型の発展モデルです。

與那覇▼リアル「世界の工場」。

柴山▼だから格差もものすごく開くんですね。中間層ができにくい構造にある。加えて、グローバル化というのは国境線をなくしていろいろなものが出たり入ったりしていくわけですが、その時に共同体原理に基づく秩序形成を行うのではなく、監視社会とも呼ばれるように、バラバラな個人の動きに関わるあらゆる情報を収集して、テクノロジーによる環境権力型統治を行う。

コロナウイルス騒動にしても、中国は逐一情報を取って人々を監視・統制するわけだから、被害が一番軽く済むのは、震源地の中国かもしれない。そうすると「中国モデルは意外にいい」という声がさらに広がるかもしれません。ヨーロッパは、今でこそＥＵとかいっているけれど、もともとの成功要因は最も早くネイション・ステート（国民国家）を作ったからだった。つまり、国民という「想像の共同体」と資本主義の原理をうまく結びつけたのがヨーロッパで、だからこそ成長していくことができた。ＥＵが出来て国民単位の共同体は弱まっていますが、根底では今もなくなっていない。

アメリカは移民国家なので、共同体としてのまとまりはヨーロッパや日本に比べれば弱いところから出発しています。しかし様々な工夫で人工的に造り出して、今でもその意識はある。ただ、日欧に比べればアメリカの方がグローバル化に適応しやすい。もともと移民国家だから。でも中国と比べればまだ、ネイション・ステートですよね。

與那覇▼それは当然そうです。

柴山▼民族の文化を持ってきたり、あるいは宗教の原理を組み込んだりと、様々な方法で国民のまとまりを維持するというのが欧米のやり方だったけど、中国の場合は文革でそれらを破壊してしまった。もちろんネイションという観念が全くないわけではないんだけれども、理念上は文化的な負荷を持たない「人民」と、それを独占的に統治する共産党政府という建て付けになっているので、グローバルな出入りの激しい経済に極めて適合しやすい。

それに対して、自信を失った欧米人、日本人が、「あれは国家の未来形ではないか」となっている（笑）。そうなるのは、「グローバル化が進んでるんだから、ネイション・ステートにはもう戻れない」という感覚が広がっているからなのでしょう。

藤井▼日本国民とかアメリカ国民とか、イギリス国民というのはあっても、中国国民とはあまり聞かないですからね。

中国化する世界

川端▼そのネイションの話ですが、先ほど與那覇さんがおっしゃった、中国とアメリカはもともと似たような文明であるというのはその通りだと思う。で、さらにいえば、もともとあった中国とアメリカの差異すらも、中国寄りに変わる形で縮小してきたという感じがする。アメリカだけでもないんでしょうけど。

藤井▼なるほど、世界が中国化しているわけですね。アメリカも含めて。

川端▼ええ。たとえば、政党政治論でいうと、アメリカとかイギリスは、政党政治がものすごく市民社会に根を下ろしているといわれます。俺は民主党支持、俺は共和党だとか。イギリスの場合、政党の党員数は少ないんですが、それでも政党は階級の代表としての存在感が大きかった。

でも最近のトランプ現象にしても、イギリスのブレグジットや大陸側のポピュリズムにしても、既存の政党政治からの脱却みたいなものがどんどん進んできて、強いリーダーがいればいいんだという声が強くなっているように見える。これはまさに、與那覇さんが『中国化する日本』に書かれていた「宋のシステム」、つまり中間団体は要らなくて皇帝に力と権威があればいいという状態にどんどん近づいているのかなと。

宇山智彦氏が雑誌『世界』で紹介されていたんですが、二〇一一年に中国国内で行われたアンケート調査

川端祐一郎（かわばた・ゆういちろう）

81年香川県生まれ。筑波大学第一学群社会学類、京都大学大学院工学研究科博士後期課程修了。日本郵政公社、郵便事業株式会社、日本郵便株式会社を経て現在、京都大学大学院工学研究科助教。共著に『名言読解日本語』（多楽園出版）、『流行語で学ぶ日本語』（外語教学与研究出版社）。

があって、「民主主義とはどういう体制ですか」と中国人に訊くと、西欧風の教育を受けた我々の感覚とは全然違った結果が出ている。僕らが大学で学ぶ政治学の世界では、政党が複数あって、普通選挙が実施され、政権交代が起きるという、ロバート・ダールが「手続的民主主義」と呼んだものが重視される。民主主義とは、手続きの体系だというわけです。三権分立もそう。でも中国でアンケートをとると、民主主義とは「為政者が国民に奉仕する体制」だという答えが八五%を占める。

別に選挙や政権交代がなくても、国民のためになっていればよい。経済的に豊かになることと、安全保障上の懸念が排除されることが重要で、それが実現されるのが民主主義だというわけです。アメリカやヨーロッパのポピュリズムもまさにそうですよね。まず賃金を上げてほしい。そして移民は治安悪化の原因とも見なされていますから、壁を作って生活の不安を取り除いてほしい。そのためなら、民主的なルールや作法を逸脱したリーダーでも構わないというわけで、そういう感覚に世界がどんどん近づいている。

だとすると僕は、與那覇さんには『中国化する世界』という本を書いていただくのがいいんじゃないかと（笑）。

與那覇▼実はもう中国の専門家から同種の問題提起が起きていて、たとえば二〇一九年に刊行されて話題になった『幸福な監視国家・中国』（NHK出版）という新書があります。神戸大で中国経済を研究する梶谷懐先生と、中国が専門のジャーナリストの高口康太さんの共著ですが、まさに「中国化する世界?」と銘打った節があるんですよ。わずか八年前には中国化する「日本」ですら大風呂敷だ、暴論だとか批判されたのに、時代は変わるものです（笑）。

この本は「デジタル・レーニン主義」（DL主義）という言説への緻密な批判です。確かに中国で信用スコアのような技術が発展し、「治安はビッグデータで維持すればいい。道徳的に人間が人間を説諭して、公共心を持たせる必要なんてない」と考える余地が生まれているのは事実。しかし欧米のメディアなどでは、まだ実現していないことまで「どうせ、中国ならやりかねないだろう」といった印象論で、実現済みのように報道されてしまったりする。要は新たなオリエンタリズムですね。

同書では主に高口氏が中国の現実をルポして、実際のところどの程度、そうしたデジタル監視社会が生まれているのかを検討し、梶谷氏はむしろ「それらは本当に、中国限定の現象か？」を考察しています。たとえばビッグデータを収集し、こいつは未払いの常習者でないか、ネットストーカーやヘイトスピーカーでないか判定する営為は、ＧＡＦＡと呼ばれる欧米資本のプラットフォームでも、普通にやれてしまうことなわけですね。そうすることで、居心地よいネット空間が効率的に維持されることを、我々ユーザーも実は望んでいる。その意味では別にレーニン主義の国でなくても、結果的に中国と同様になる、「中国化する世界」という未来図があり得るわけです。

つまり、私たちは長らく「（欧米の地域名）化する（非欧米の地域名）」という言い回しに慣れてきたけれども、それは逆転するかもしれない。中国はなぜ西洋化しないのか？　ではなく「西洋はなんで中国化しないの？　こっちの方が儲かるし、快適なのに」という問いが普通に口にされる社会が迫っているのかもしれない。この問題が先ほど川端さんの指摘された、欧米における「政党に代表される民主主義」の崩壊について

もいえると思うんです。

個人的にそれを痛感したのは、二〇一七年のフランスの政局でした。右派ポピュリストのマリーヌ・ルペンに勝って、左派のエリートであるマクロンが大統領になり、新党「共和国前進」を急造して議会も制しました。私はこれは「フランスの韓国化」だと、すぐ思いましたよ。韓国では大統領（候補）が新しくなるごとに、支える政党が再編されたり名前が変わったりしますから。よくいえばダイナミックだけど、その分不安定。

ところが日本の識者は当時、ブレグジット以来のポピュリズムが止まったぞと。さすが知性の国フランスだと持ち上げてしまい、翌年に黄色いベスト運動が起きて泡を食った（笑）。反知性主義だろうとなんだろうと、これからは「欧米がアジアを追いかける」時代かもしれないという認識が、欠けているんですね。

中国化した世界は「地獄」である

藤井▼そういう格好で、政党政治の基礎的基盤が溶解し、アメリカやフランスを巻き込んで世界中で中国化が進行しているわけですが、それと並行して進んでいるのが、『幸福な監視国家・中国』で論じられている、「監視国家でも飯が食えるから、まぁ幸せだ」っていう風潮なんだと思います。

そもそもなぜ中華未来主義が肯定的なものとして言われ始めているかというと、冒頭で申し上げたように、欧米諸国では貧困も広がり、格差も拡大している一方、中国はもともと格差社会で貧困社会だったのに、どんどん豊かになっていった。だから今、あっさりいうなら、欧米諸国が中国を非常に「うらやましい」と思っているわけです。

ただ、そんな監視国家が、本当に幸せかっていうとそうじゃないわけです。

チベット・ウイグル人として生まれればこれは地獄であることは間違いないし、仮に一般的な家庭に生まれてきたとしても、監視されているけど、飯だけたらふく食えるっていう、「家畜」として生きていくのが幸福なんだろうかっていう問題がある。

もし人間の生の価値や幸福の根源というものが自分の正義や善、美意識の実現や具現化であったりするとすれば、幸福な監視国家っていうのは、やはり「地獄」になるわけです。家畜っていうのは、飼い主が決めた範囲は自由に動いている限りエサが与えられるけど、その範囲を逸脱すれば強制的に戻され、それでも抵抗すれば、殺されるような存在です。これって、共産党を心底信奉してない人からしたら完全に地獄ですよね。

それにもかかわらず、いわゆる先進諸国を中心に貧困や格差がはびこり、もう家畜になっても構わないから飯をくれっていう心情で中華未来主義が肯定的に語られ始めたわけです。

でも、仮にそうだとしても、家畜として生きていくのが「いい」なんて、「ありえへんやろ！」というのが普通のまっとうな、見識ある感覚だと思います。「家畜の安寧」よりも「死せる餓狼の自由」の方がいいなんて、もう子供でも分かる当たり前の感覚ですよね。

浜崎▼問いたいのは、そこなんですよ！

藤井▼だから「中華未来主義」とか言ってほめそやしている人々というか輩たちに対しては「バカか！」と言ってやる義務が我々にはあるんじゃないかと思うんですよ。

浜崎▼そうなんです。だから、現象論として世界が中国化していることはその通りなんですが、問題なのは、それが「いいか／わるいか」なんです。僕は、これは最悪だと思っている人間ですが、たとえば、先ほど話題に上がった『幸福な監視国家・中国』っていう本がありますよね。

與那覇▼同書がいう「幸福な」は、むろんアイロニーですが。

浜崎▼まさにアイロニーなんです。この本によれば、二〇一七年末時点で中国には一億七〇〇〇万台の監視カメラがあって、二〇二〇年までにさらに四億台を追加するという。また、個人情報にヒモづけされた信用スコアによって人々に賞罰が与えられ、自動検閲システムと共青団一千万人のボランティアによるネット検閲も日常化している。つまり、データ処理による合理的なアーキテクチュアによって、「愚かな選択」ができないようにするリバタリアン・パターナリズムが徹底されている。

この〈幸福な監視体制〉を、著者は「ポストモダン的監視」とも呼んでいますが、それで思い出したのは、「あなたのためよ」と言いながら、子供にGPSを持たせて徹底管理するような親ですよ（笑）。これは僕にいわせれば「虐待」の一種ですが、言い換えれば、これは、「なんで、あんたに私の幸福が分かるの」問題なんです（笑）。功利的にいえば、確かに安全だし、経済的にも苦労はしないんだろうけど、人間には、時と場合によって「愚か」になるべきときだってある。それを考えずに済ませようとするところで功利主義が暴走していくことになる。要するに、道徳的感情と功利的計算との間で葛藤し、思考すべきところで、デジタル・パターナリズムは、その人間的葛藤をオミットするんですよ。その葛藤を失くしてしまえば、確かに全ては合理的に処理できるのかもしれないけど、それは、人間が「人間でなくなる」ということです。それなら、これをただ、放って見ておいていいいのか。

僕はそんな社会は絶対に嫌です！　だとしたら、「やっぱり中国化はまずいんだ」という価値判断を下すべきではないのか。最終的に、議論は、そこに集約されるはずだと思います。

與那覇▼非常に面白い。『中国化する日本』の内容はそれなりに当たっているので、書いたこと自体は別に反省しないのですが、実はその点で、考えが足りなかったところがあると思っています。

同書を読んだ社会科学系の方には当時よく、柴山さんが出された「国家資本主義」の歴史的考察としても面白い、と指摘されました。鄧小平が社会主義を自称しつつ国家資本主義にした、という話はよく聞くけど、與那覇の本が宋朝まで起源を遡るのは斬新なアプローチで、説得的だと。

これはもちろん光栄なコメントですが、同様に私自身も、中国化の最大のドライブを経済現象に求めていた面がある。なぜかというと、前近代の中国をグローバル化の先進国として捉える議論は、世界システム論のような経済史系の研究が中心です。換言すれば修正マルクス主義ですから、どうしても唯物論的な見方になって、価値判断の問題には目が向かなくなりがちなんですね。

藤井▼あくまでも、社会科学的な現象分析をおっしゃっただけの話だ、ということですよね。

與那覇▼そうです。しかし中国化した社会の実像を唯物論的な歴史に即して描けば、自然と「いや、これは相当キツい世の中だな。嫌だな」という感じが読者に湧くだろうと思ってたんですが、意外にそうでない人がいっぱいいた。

一同▼（爆笑）。

人間性に疲れた人々が人間性を排除してしまったから「中国化」した

與那覇▼ショック療法にショックを受けないという か、「中国化ねぇ。仕方ないんじゃない？」とか、逆にむしろ「中国に負けないためにも、それ以上に中国化して対抗だ！」といった中華未来主義に傾く人が結構いる。なぜそうなるのかという問いは、人間性の問題ですから、経済史では解けません。

本誌の二〇一九年三月号で対談した際に（のち『歴史なき時代に』朝日新書にも再録）、浜崎さんが強調された言葉ですけど、私は最大の要因は、人間性に対するニヒリズムだと思う。いわば「人間主義」の黄昏の後に来る（来た）のが、中華未来主義ではないか。

人間主義とは、相手も自分と同じ人間だという前提を置き、「だったら、話せば通じるはずだ」として説得してゆく態度ですね。ところが説得される側には「こちらの個性、差異を尊重してくれないのか！」という不満がたまる。一方で私も大学教師を七年したから分かりますが（苦笑）、説得する方もどっと疲れるわけですよ。「理解できたのはその程度かよ！」と。いわば聞く側には暑苦しさ、話す側には徒労感が蓄積して、人間主義が摩耗してきてはいませんか。

柴山▼ニヒリズム欲求ですね。

與那覇▼『心を病んだらいけないの？』（新潮選書）で共著者の斎藤環さんと詳しく議論しましたが、そうした「もう人間性という概念をスキップしたい」という心の隙間に忍び込むのが、ＩＴ／ＡＩ言説なんです。ビッグデータで管理すれば説得なんて要らないよ、と甘いささやきで誘い込む。釣られた人は、ＩＴの普及を邪魔する「そうした発想は非人間的だ」といった通念を叩くために、人間なんて所詮ＡＩに抜かれるゴミだと。そういう攻撃的なニヒリズムに走ってゆきます。

浜崎▼まさに、そうなっていますね。

川端▼少し、未来主義者を好意的に解釈してみてもいいですか（笑）。ニック・ランドなどの加速主義者の主張を読むと、すごく既視感を覚えます。加速主義者は「ＣＥＯ独裁」みたいな体制を理想視しているところがあって、アマゾンのような強いＣＥＯに率いられるテクノロジー企業のイメージを持ってるようなんですよね。これは示唆的で、実は中国的な中間集団抜きに統制される体制と、シリコンバレーの超巨大ＩＴ企業には親和的なところがある。

　雑誌でも何度か紹介したのですが、イギリスの社会学者リチャード・バーブルックらが書いた「カリフォルニアン・イデオロギー」という短い論文があって、面白い議論なんです。一九六〇年代くらいから、ベトナム戦争とか、社会全体の官僚化とか、公害問題とかが起きてきて、近代性に対する疲れのようなものが噴出した時期があった。

柴山▼ヒッピーマインドですよね。

川端▼そうです。「カウンター・カルチャー」（対抗文化）と呼ばれたものですね。カリフォルニアのヒッピーの人たちは、最初は「企業組織に管理されたくない」とか言っていたんです。それで労働組合も作らず、エンジニアリングの腕一本で食っていくという働き方を理想視していた。当時、マクルーハンの主張していた「地球村《グローバル・ヴィレッジ》」のイメージが流行っていたんですが、これはネットワークでつながった電子メディア上にみんなで集まり、息苦しい世の中のしがらみから逃れて、理想的な村を作ろうみたいな話です。そういうものに憧れて、既存の組織を壊して流動化していった。でも彼らがそれで自由になったのかというと、そうでもない。業績を挙げなければすぐクビになるという完全な競争社会になって、一部の実力者以外は前より辛い思いをしているというのがバーブルックたちの観察です。

　つまり、解放を求めて突き進んだんだけれど、結果的にはマネーのシステムにとらわれてしまい、資本の監視の下で生きているに過ぎないという逆説です。こういうことは、今に至るまで繰り返されているんじゃないですかね。

　だから、今のサイノ・フューチャリズムに限ったことでもなく、フューチャリズム（未来主義）に共感する人たちというのは、既成の秩序に対して恨みや不安を持っていて、それを間違った方向に発露してしまっているという感じではないかと思う。もともと人間性を持たない人たちなのではなくて、むしろ人間性を回復したいと思って妙な罠にはまってしまった人が多いんじゃないかということです。もちろん「イデオローグ」の中には気が触れたような人もいて、ニック・ランドもそれに近いと思うけれど。

與那覇▼マッド・サイエンティストみたいな……。

川端▼気狂いリバタリアンというのは実際いますからね。でも全体としては、中間集団の重圧に疲れを覚えた多くの人たちが、そういうイデオローグに騙されてしまうという、憐れむべき構造なんじゃないでしょうか。

「資本主義」があらゆる俗情を吸い上げて、でっぷりと太っていった

藤井▼ミクロから見ればまさにそういうことだと思いますが、それをマクロ側から見て、ものすごくあっさりいうと「中国化」とか「脱政治化」って、結局「資本主義の暴走」という話だと思うんですよ。資本主義、キャピタリズムが生まれてから、徐々に拡大していって、巨大なものとして動き出して、そいつが、人間のあらゆるものを飲み込んでいった。それはちょうど、映画の『千と千尋の神隠し』の「カオナシ」みたいなもんですね。

先ほど、グローバリズムは中国にうまくはまったという話がありましたが、グローバリズムは資本主義＝キャピタリズムのグローバル版ってことですから、そいつが、中国っていう大きなものを飲み込んだともいえるわけですよね。で、七〇年代のヒッピーたちも、そいつらの心の中にある愚かなものだとか卑しい気持ちなんかにつけ込まれて、資本主義に絡め取られていった。そうやって、資本主義＝キャピタリズムっていうカオナシの化け物が年々、あらゆる種類の人々の俗情を吸い上げてでっぷりと太っていき続けているわけです。

だからやっぱりこの、ものすごく典型的な話ですけれども、「共産主義」と一緒で、「資本主義と戦う」というスピリットがないと、資本主義は暴走するわけです。だから結局、二十一世紀的にいうところの「中国化」がどんどん進んでいるんじゃないかと。あっさりいうと、そういう話じゃないかと。

與那覇▼まず藤井さんのご指摘は、資本主義は「不純物が入っていてこそ、初めて安定的になる」という考え方ですね。初期近代のヨーロッパでは身分制度のいわば上と下から、資本主義の力学を規制する軛《くびき》があった。上の方は、いわゆるノブレス・オブリージュ（高貴な義務）と呼ばれる、貴族制度から来る良きエリート主義。下の方は、中世の職人ギルドまで遡る組合主

義で、発展して労働組合になってゆく。

これらがガチっと社会に枠をはめているので、お金持ちだからといって何でもできるとはならず、資本の暴走が抑制された。しかしアメリカに行くと、こうした抑制装置がほぼ消失するし、歴史的な文脈が異なる中国となると、もうゼロ。だから止められないという説明は、確かに説得的だと思います。

ただ私は『荒れ野の六十年』にも書きましたが、むしろ中国の方から直接、今の資本主義を捉えた方が、分かりやすい気がしている。邦訳時に小ブームを起こした、ジョヴァンニ・アリギの『北京のアダム・スミス』（作品社）が一例ですが、同書は「資本主義の市場経済化」として現在のグローバル化を描いています。

市場経済とは要は「商売」のことで、自分ではものを作らず、仕入れては売るだけ。逆に資本主義は本来、工場労働を通じて原材料を加工し、付加価値をつけることでドカンと儲ける仕組みです。ところが全世界が産業化を達成すると、工場自体がどこにでもあるから、一番労賃が安い地域の既製品を転売した方が利益になるので、商売（市場経済）との違いがなくなってしまった。

米国自動車業の父であるフォードのように、工場で働く人材が限られていれば、経営者も労働者の福利厚生に気をつかった。ところが今や、グローバル企業はもれなく「転売ヤー」化してしまったので（笑）、彼らはいかに他人を出し抜いて儲けるかを考え、競争相手や消費者にはむしろ共感しなくなる。

アリギがいうように、中国は「資本主義以前の市場経済」の時代に最先進国でしたから、こうした転売マインドにマッチする面があって、それが（人間主義の側からは）ニヒリズムに見えると。

藤井▶なるほど、確かにそういう側面はありますね。キャピタリズムのキャピタル（資本）を操る資本「家」の動機を考えれば、結局は金儲けですから、その手段が物作りから商売に移った、で、その転換において中国が重要な役割を担った、というわけですね。

既存社会に対する「憎しみ」が中華未来主義を生み出した

與那覇▶一方で川端さんのご指摘ですが、中華未来主義を全肯定する人たちには、共通のクセがありますね。とにかく通常の意味での人間というものを非常に憎んでいて、「人間らしさなんてクソ。全部ＡＩに任せた方が主観的にも幸せになれる」と高唱する。しかし奇妙なのは「優秀・有能な人間」なるものには驚くほど無批判で、スティーブ・ジョブズやイーロン・マスクを信奉し、マクロンのような欧米エリートが選挙に勝つと熱狂して、「それに比べて日本は」と言い出す。彼らの頭の中身はどうなっているのか（笑）。

それを考えるヒントが、フューチャリストに人気のイスラエルの歴史家、ユヴァル・ノア・ハラリです。『サピエンス全史』に始まる世界的ベストセラーで知られますが、本来の専攻は中世史と軍事史。なのに近著では「ＡＩは人間を超える」式の未来予想図を語り出し、さすがにそれは単なるイデオロギーだろうという批判も出ているようですが、しかし盲信する人は信じ続けるんですね。

私は彼の『ホモ・デウス』の書評を書きましたが、ハラリの予測をベタに受けとるのは本の読み方を知らない人ですよ。なぜ彼は人間中心主義を否定し、「人間はやがてＡＩに負けるかも」と専門外の分野で恐怖を煽るのか。それは彼のゲイとしての被差別の体験と関係があるわけです。同書の中でも仄めかしている

し、自身のＹｏｕＴｕｂｅチャンネルでは影響関係をより直截に語っています。

イスラエルとは歴史上、ヨーロッパやロシアでずっと迫害されてきたユダヤ人が集まって作った国でしょう。ところがそこでも、同性愛者は非人間的な存在としてやっぱり差別される。これって何なんだよと。さらにいうと彼は菜食主義者で、人間のエゴだと、ブロイラーの飼育法はもはや動物虐待だ、そういう運動もしています。

浜崎▼「人間」に対する「憎しみ」があるんですね。

與那覇▼そう。『ホモ・デウス』にも確か一カ所出てくるけど、やはり同性愛だったフーコーに通じる「人間なる概念」への徹底した憎しみ。ところが未来主義者はそうした動機を全然見ないで、「ビル・ゲイツやマーク・ザッカーバーグが絶賛したグローバル人材の必読書」なる側面だけを読むんですよ（苦笑）。で、今は人間性を貶《けな》し、ＡＩこそが人間を追い越してやがて神になると主張するのが「エリートしぐさ」だと、そういう表層的な模倣をするわけです。結果として加速主義と同様、本来悪口だったはずのカリフォルニアン・イデオロギーも、むしろ「最先端の思想」といった含

意が漂い出していますね。

藤井▼サイノ・フューチャリズムとか広義のキャピタリズム（資本主義）というのは、モノ作りにしろ商売にしろ何でもいいのでお金儲けしたいという人たちの卑しい欲望も飲み込むし、それを使った社会をぶっ壊してやろうという人たちのルサンチマンも吸収する巨大な装置としても機能してるわけですね。

與那覇▼それは強く感じます。

「日本的なものを潰したい」という日本人の怨念が加速主義を加速させている

柴山▼僕が加速主義の議論を聞いて思ったのが、日本の講座派に似ているな、ということです。戦前からマルクス主義者の間で、講座派・労農派論争というのがあったのですが、とりわけ影響力を持ったのが講座派でした。

もともとは明治維新がブルジョワ革命だったかそうじゃないのかという歴史論争で、もしブルジョワ革命だったら次は共産革命が必要だとなるけれど、もしも明治維新が単なる絶対王政への移行と捉えると、まずは天皇制を打倒しなければならないということになる。共産革命より先にブルジョワ革命が必要だというのが、大雑把にいうと講座派の考え方で、それが若き日の丸山眞男らに決定的な影響を与えたともいわれている。

この議論って、今の加速主義に近いんですよね。つまり日本はまず資本主義にならなければならない。日本の封建主義的で軍国主義的な体制からまずは脱却しなければならないので、二段階戦略としてまずは資本主義として振る舞おうと。個人主義を徹底して共同体を破壊して、資本主義になり切った先に、ようやく次の理想が語れる。これは日本版の加速主義ですよね。

実際、丸山眞男から浅田彰に至るまで、日本の左派知識人は一貫してその路線でやってきている。「自分は資本主義者じゃない、だけど、まずは資本主義にならないと何も始まらない」という意識がずっとあった。今の現代思想がどんな主張をしているのか知りませんが、加速主義の議論は日本の左派の古き良き「ジャパン・イデオロギー」に合っているので、「この議論はなじみがある！」という感じになっているんじゃないか。

そういう日本の知識人たちに共通しているのは、與那覇さんの言葉でいうと、江戸時代的なものが嫌いなんですよね。

與那覇▼憎んでますね（笑）。庶民は江戸時代大好きなのに、知識人は嫌い。

柴山▼ですよね。日本の知識人は「反江戸」。だから彼らは「日本の歪んだ共同体を駆逐したい」っていう思いがあって、そのお手本がかつては「西洋の市民社会」だったのが、今は中国の未来主義になりつつある、という話なんだと思います。

藤井▼それは知識人だけじゃなくて、小泉・竹中・橋下・小池、安倍に接続する大衆迎合主義の政治屋たちの系譜も全く同じ、日本的なるものに対する「怨念」というようなメンタリティを持っているように思います。だから彼らは一見、「反中」なんて言うかもしれないけれど、そもそも日本臭いものが嫌いだから確実に中華未来主義、サイノ・フューチャリズムに接続するでしょうね。まさに保守思想の敵として我々の前に立ちはだかりますよね。

柴山▼日本人の場合は中華未来主義を全面的に擁護しているのではなくて、「江戸的なものに比べればまだマシだ」という感情から、いわば反語的に惹きつけられている、ということなんじゃないか。

川端▼まさにそうだと思う。ある労働組合の勉強会に呼ばれて、組合運動の話を聞いてたんです。「最近の若い奴らは労働組合に入らない」みたいなおなじみの話なんですが、右傾化してるとかじゃないんですよね。堀茂樹さんが、最近の人たちは「しがらみ」が嫌いで、しがらみへの反抗と新自由主義は親和的なのだとおっしゃっていた。僕はひとまず、「昭和的しがらみ」と呼んでおこうかと思います。「江戸時代的」でも構いませんが、僕らの身体感覚からすると「昭和的」と呼ぶのがちょうどよい。とにかく昭和的なものに対する嫌悪感というのはかなり根強くあって、そういう人たちには、フューチャリズム的な物言いがよく響くところがある。昭和的なしがらみや利権や息苦しい道徳は捨てましょうと連呼することで、維新の会のような改革勢力が力を持つし、小泉・竹中的新自由主義が支持されるわけです。

この、昭和的しがらみが面倒だという感覚は正直よく分かる。でも、それを破壊したところで行き着くのは、理想的な天国ではなく地獄なんですよね。

サイノ・フューチャリズムもかつてのポストモダン

も、確かに「近代の暴走」であるといえると思う。でもそれ以前に、「近代に対する無理解」があると考えた方がいいと僕は思う。與那覇さんの本の中で、自由主義や民主主義といった西洋的なリベラリズムは、実は前近代の封建制の延長なんだという話がありますね。封建制の伝統があったからこそ、その中で王権を制限しようとしていたら民主主義が出来上がったというわけです。そういえばサミュエル・ハンチントンは、資本主義にせよ民主主義にせよ、西欧キリスト教文明の上にしか作れないんだと断言していた。彼は偏った西欧主義者ですが、この主張は結構正しい可能性がある。つまり、近代というのは、長いヨーロッパの歴史の上に出来上がった特殊なシステムだというわけです。

先ほど與那覇さんが「資本主義の市場経済化」とまとめられていて、なるほどなと思ったんです。人類の歴史を遡《さかのぼ》れば、中国が強い時代もあれば、スペイン・ポルトガルが強かった時代もあった。でも前近代の帝国の力の源泉というのは、集約された労働力と資本の組み合わせから新しいものがどんどん生まれる近代の「産業」とは違って、「商業」的なものですよね。あっちでとれる資源をこっちに持ってくるというものです。いま生じているのは、そういう「商業」的世界へのシフトなのではないか。

十八世紀の終わりくらいからたぶん二十世紀の前半くらいまでの間に、「国民」という共同性が確立し、労働者を全国から集めてみんなで工夫すると新しいものがポコポコ生まれるようになり、いわゆる西側の世界は一気に豊かになった。僕は近代というのは、こういうふうに労働者が秩序だって協調できるような、コミュニティを作り出す文化とか習慣がなければおそらく成り立たないものだったと思う。

ところが、近代産業の伸びがある程度鈍化してくると、今度はまた昔のように、ゼロサムゲーム的な取り合いの世界に戻るということなのではないか。すると中国みたいな、十億人がメカニカルに動いて巨大な力を見せつけるという帝国型の社会の方が強いということになり、もともと日本人とか西欧人が持ってたような、国民文化の上で協調して工夫を重ねるという強みは活かせない世の中になる。そういう形で、世界の「中国化」が進んでいくということだと僕は思っているんです。

そこで「良し悪し」をいえば、僕は別に近代主義万歳とはいわないけれど、西欧人や日本人が経験してきたような、国民の歴史的共同性の上で育てられた資本主義や民主主義から成る近代文明を、一応は肯定すると言いたいところはあるんです。未来主義的なイメージの近代ではなく、ネイション・ステートの歴史の上に成り立った近代の歴史を、僕はひとまず肯定していいと思う。

でも今の「中国化」の流れを戻すのは大変で、理論とかイデオロギーが全部間違ってますからね。資本主義の矛盾みたいなものにいら立った人間が、みんな歴史や文化ではなく「加速主義」の方に行くわけですよね。

僕は、與那覇さんの用語でいうと「再・再江戸時代化」派に近いかもしれない（笑）。近代の息苦しさは、近代を成り立たせてきた歴史的条件を振り返ることで解決すべきなんじゃないかと思うんです。でも世の中の人たち、特に知識人はだいたいそれが嫌いなんですよね。後ろを向くことだけは絶対にいやだってことになってるから。

日本の復活の鍵は、中間共同体の復活である

浜崎▼それでいうと、與那覇さんの本で示唆的だったのは、実はセーフティネットシステムが、中国と日本とで全然違うという指摘です。

與那覇▼家族制度の話ですね。

浜崎▼そうです。中国人は、父方の姓でつながりながら、その中から一人でも成功者が出れば、そこに寄食していくという「宗族《そうぞく》」システムがある。逆にいうと、「宗族」システムがあるから、あれだけバラバラに資本主義競争を加速しても、中国は、何とかもっているのではないかと。資本主義社会で負けた奴も、「宗族」に寄り掛かることで食いつないでいけるわけですから。

でも、日本には「宗族」はない。ついでにいえば、アメリカには「宗族」の代わりに「宗教」があるし、ヨーロッパには「大きな国家」がある。でも、日本には、キリスト教のような「宗教」も「大きな国家」もないんです。では、何があるのかというと、結局、「中間共同体」なんですよ。どこかに所属することで何とか食べながら心を落ち着かせてきたというのが日本人なら、そのセーフティネットとしての「中間共同体」なしで、果たして我々はやっていけるのか、日本

は成り立つのかっていう問題になるんじゃないかと。

藤井▼それがなくなれば、日本にセーフティネットがなくなる、っていうことですね。

浜崎▼おっしゃる通りです。「カイシャ」や「ムラ」や「イエ」に頼れなくなりつつある今、ヨーロッパ並みに国家を大きくする必要もあるとは思いますが、しかし僕らの感受性を養っているのは、やっぱり「中間共同体」なんですよ。これがなくなると日本人は元気や信頼感をなくす。すると、思考ができなくなるので議論が萎《しぼ》む。だから民主主義が機能不全を起こす。そうなるとますます、人間への「憎しみ」が加速するので、「中華未来主義」的なるものを呼び寄せることになると……これは完全なる悪循環です(笑)。

柴山▼「憎しみ加速主義」ですね。

浜崎▼まさに！　だから結局やるべきことは、中間共同体を昔のように全面復活させよとはいわないけれど、それに財政的にも個人的にも手を入れつつ保守していくことくらいしか、残された「手札」はないんじゃないかと。

藤井▼僕ももちろんそう思うんですね。たとえば、個人的なことをいうと、僕は僕なりに自分の家族とか職場とか友人とかの間で、できるだけそうしようと思ってるし、努力もしてる。でもね、正直ベースでいうなら「でも、どうせ無理なんだろうな……」という気分もある。僕自身は中間共同体を復活させようとして努力もしているけど、誰とはいいませんが地上波テレビで嬉々としてエラソーにしゃべっている若手言論人たちの軽薄な顔を見ていたら、日本じゃもう、絶対無理だろうなぁ、という気分になってしまう。そうするともう、半ば捨て鉢に中学校の不良やヤンキーみたいな気分になってしまうわけです(苦笑)。

日本の庶民の「江戸時代離れ」と「人間性の喪失」が進行している

與那覇▼それは重要なポイントかもしれません。日本のインテリは伝統的に江戸時代が嫌いで、講座派は文字通り江戸時代の遺産である「封建遺制」の克服を試みました。逆にいうと、かつてはそこまでインテリをいらだたせるくらい、庶民は江戸時代べったりだった。

柴山▼庶民感情は強固ですからね。

與那覇▼一方で注意すべきは、今起きているのは「庶民の江戸時代離れ」というか……。

一同▼あぁー。

與那覇▼「若い社員が会社の組合に入らない問題」もその一例でしょう。それが、一時は強欲な犯罪者として世論に罵倒された堀江貴文さんが、なんだかんだで出獄後は再び人気を獲得する理由でもあります。彼には「俺は社長やってた超金持ちだぜ」とする強者としての顔のほかに、「だけど既存の企業社会の犠牲者なんだ」という弱者の顔がある。

実力もお金もあったのに、旧態依然の日本型雇用を続ける経団連のエスタブリッシュメントに迫害されたと。これがアピールするわけです。年功序列の職場で「あのクソ上司！」という怨念に憑《つ》かれた人が、堀江さんのサロンでそもそも既存の会社という存在自体がクソだよと教わると、「そうだそうだ」と同調して実際に辞めちゃうみたいな。

一同▼（爆笑）。

與那覇▼インテリだけでなく、普通の生活者が江戸時代を嫌い出すのは、歴史的には珍しい局面かもしれない。

浜崎▼それは、ここ二、三十年の話ですね。

與那覇▼講座派的に見ると、それは日本の特殊性たる「庶民の江戸時代大好き」の消長ということになります。たとえば民主党政権はなぜ挫折したか。あれは政治家と経営者だけが国を動かすのではなく、話し合いの面子に労働組合も入れる試みとして捉えれば、普通のヨーロッパ型のコーポラティズムなんですが、なぜか日本では機能しない。その謎を解くアプローチとして、「日本の終身雇用って江戸時代的で特殊だけど、それってまだ支持されているの？」と問う視点はあり得る。『中国化する日本』の時点では、自分もこちらの立場でした。

しかし欧米でも中華未来主義をポジティヴに主張し、逆に人間性を攻撃する風潮が高まっているのを見ると、今は（講座派と論争した）労農派に転向したくなってきた（笑）。つまり、根源的な人間不信とニヒリズムは、日本に特殊ではなくどの国でも高まっていて、彼らが「だったらもう中国化しちまえよ！」という気分を作っている。世界的にヒットして高く評価された映画『ジョーカー』（二〇一九年）は、それを考える素材としても興味深い。

同作は貧困層の中年男性アーサーが、社会から迫害され疎外感を抱えていくうちに、一線を超えて犯罪王ジョーカーとして覚醒するまでを描いています。アーサーは同じアパートに暮らす黒人のシングルマザーのことが好きなんだけど、精神的に追い詰められる過程で彼女の部屋に勝手に入ってしまい、帰宅した本人に驚かれるシーンがある。

カットつなぎとしては、その後シーンが飛ぶので、そこで何か――レイプや殺人のような犯罪があったんじゃないかと、そう連想することは一応できるんです。しかし続きを見ていくと、アーサーはジョーカーになった後も、自分を侮蔑・差別した人間には徹底的に復讐するけど、優しくしてくれた人には手を出さない。そういう最低限のモラルが残っていることが描かれている。だからストーリーの構造的に、アーサーが彼女を襲ったという解釈はあり得ない。

ところが面白いのは、観客の間で「黒人女性は殺された」「彼女がジョーカーの最初の犠牲者だ」とする説が広がってしまい、スタッフが監督の言として「殺されてません」とわざわざ否定する事態になった。「いま人間性が失われ、他人を信じない社会が生まれている。これでいいんですか?」と問いかける映画を作ったら、観る方は映画よりもっと人間性を失ってニヒルになっていたと(笑)。これは大変なことだと感じましたね。

「共同体の復活」のミクロ闘争と、「反グローバリズム・反緊縮」の政治闘争とを接続すべし

藤井▼そういう見方をしてしまう、カッコつきの「バカ」みたいなのはこの日本でも裾野広く広がっていて。それとどう対峙するかという問題と、中国化、あるいは中華未来主義、加速主義、ダーク・エンライトメントみたいなものと、どう戦うかっていうことと同じだと思うんですよね。

でも今ずっと話をしながら思っていたのは、これまた陳腐な話になりますが、結局、資本主義の市場主義化、グローバリズム化というものが広がってきたことに対するシンプルな対抗は、貿易における「保護主義」なんですよね。

しかも、日本の場合は特に倫理、宗教、あるいは文化というものが、共同体という実体的な身体性を伴うものに「埋め込まれ」つつ保存されてきている。そういう構造を見ると、日本の倫理なり文化なりを守るには、共同体とか家族とかについての「保護」が必要ですねということになる。

で、この二つの「保護」さえある程度できれば、中国が今、出張ってきた構造を根底から変えられるんじゃないかと思うんです。さっき川端君が、各国が過剰生産に陥って、生産よりも流通が優越し、グローバル化が進行して、そうなると必然的に十四億人の人口を抱えた中国が強くなって、グローバル経済の中で総どりできる、っていう話がありましたけど、保護主義を蔓延させて、国と国とを「ディスコネクト」(切断)していけば、グローバル化を抑止でき、結果、中国のここまでの膨張も防げたはずです。

本当は、これは「脱政治化と中華未来主義」のペアの話と完全に同じ話ですけれども、やっぱりここで「保護主義」を重視して共同体を活性化し、我々が半ば諦めかけている人間性も復活でき、復活した人間同士が織りなす共同体を通して脱・脱政治化、つまり「政治化」を果たせばグローバリズムが弱体化し、その帰結として中国の拡大も抑止でき、その結果、日本の国民国家も活性化していく、ということもできるはずです。

だから、先ほど浜崎さんが言った最後の「手札」で、ある共同体の復活というミクロなプロジェクトを、アンチ貿易自由化だとか、その他の「反緊縮」だとかの政治的な「闘争」とも連関させながら、総合的一体的な人間実践として全面的に展開すれば、活路はなくはない、というか、そこしか活路はないんじゃないかと。

浜崎▼二正面作戦はつくづく、大事ですね。それに絡めていうと、久しぶりに魯迅の『阿Q正伝』を読み返したんですが(笑)、やっぱり日本の「庶民」と、中国の「庶民」は全く違うなと思ったんですよ。

たとえば、吉本隆明が「大衆の原像」と言うときは、やっぱり、中間共同体というか、下町のオジちゃん・オバちゃんのイメージですよね。でも、中国の「大衆の原像」は、あそこに書かれた「阿Q」でしょ。魯迅の描く阿Qというのは、のろまで、定職もなく、そのくせ自尊心だけは高くて、自分のことしか考えていないという奴です(笑)。自分に都合が悪いときは革命軍を憎むけど、嫌いな奴が処罰されると、急に革命軍はいい奴らだとなる。それで、最後は、何も知らないまま銃殺されるんですよね。これを読んだときに、ああそうか、中国というのは宋の時代から「大衆社会」なんだと思ったわけです。

與那覇▼ある意味ではそうですね。

浜崎▼別に「嫌中」を煽りたいわけではないんですよ（笑）、ただこういう阿Qみたいな「大衆」を前にして、そりゃ中国の政治エリートは、大衆を教育することを諦めて、統制の方に傾いていくだろうなと。また、日本を知っている魯迅が、それを絶望的に書くんですね。日本といわなくても、近代的な「国民国家」、あるいは、近代中国文学の可能性を、阿Qたちの中で模索するわけですから。

だから、オルテガの『大衆の反逆』ではないけれど、やっぱり「国民国家」をやる以上は、「精神の貴族主義」は建前でも必要なんですよ。そして、それを作り出すものこそ中間共同体であり、そこでの教育でしょう。大衆を「虫けら」として「統制」するんじゃなくて、「教育」によって「貴族」へと育て上げる。もちろん、それもパターナリズムといわれれば一つのパターナリズムかもしれないけれど、でも、その本当の教育主体は「伝統」なんですよ。伝統が「日本人としての生き方」を教え、教育する。規律訓練型権力といわれようと何だろうと、それをしない限り、「議論する主体」なんてどこからも生まれませんよ。それをしないなら、もう阿Qばかりが出てくるわけで（笑）。

柴山▼阿Qばかりだったら秩序の形成には強い権力が必要だということになる。日本は共同体で秩序を作ってきたわけですが、それが今はうまく行かなくなってきた。阿Qがどんどん増えてきたことで、日本全体がフューチャリズムの方にどんどん引きずられている。

與那覇▼その中でお前は阿Qだ、いやお前こそと互いに罵《のの》り合っている。

一同▼（笑）。

柴山▼その次は、だったら合理的な監視システムを作って共存していこうという話になるのでしょう。

「人間性の復活」は「政治の復活」と不可分である

與那覇▼前に川端さんから、中国人の持っている民主主義観の話題が出ました。結果的に「国民のためになる」政治をしてくれるなら、選挙や議会のような手続きはどうでもいい。民意を満たすなら一党制でも独裁者でも何でもあり、そういう民主主義観であると。

『中国化する日本』を出した時は民主党政権下ですが、小選挙区制の導入のように「手続き」をいじることで、二大政党制にしていこうと。これが平成の発想でした。引きずられて自分も、政治のあり方は制度設計によってチューニングできるから、相対的に変えやすい。逆に人間性は変えにくいし、無理やり変えようとすると洗脳とかプロパガンダとか、怖いことになりそうでもある。だから変える順番は「政治→人間性」だと、そう当時は考えていたのですが、ここも間違えたかもしれないと感じています。

日本は政治制度の面では一応今も議会制民主主義で、中国と同じではないですが、むしろ人々の民主主義観――人間性の方が中国化していないか。しかも中国嫌いほど中国化するという、謎の逆説がある。たとえば百田尚樹さんが「俺がネットの声を安倍総理に届けたるでぇ！　今度飯食うから、新型肺炎にもっと対策せえと言ったる！」とやって、実際に安倍さんが一斉休校でお願いしますと表明する（二〇二〇年二月）。これぞ民主主義だと思っている人は実は多い。

一同▶（苦笑）。

與那覇▶中国なら科挙合格者、日本なら霞が関官僚のような「厳しい勉強を通じて修養した人は、それなりにしっかりしている」というのは朱子学的な考え方ですが、対抗して陽明学というものがあるんです。「エリートがなんぼのもんじゃ。質朴な庶民の声こそ大義！」とする一種の反知性主義で、紅衛兵が毛沢東を担いで下克上を起こした文化大革命の背景に、その影響を見る研究もあります。

エスタブリッシュメントから外れた人が総理の飯トモになり、それをPRしてフォロワー数を増やす。その後に世論と称するものを政治家に吹き込み、応えてもらうと「さすが俺たちの安倍さん！」とはやす。そうした識者が、日本でも増えていませんか。

藤井▶先ほど「脱・脱政治化」と言ったのは、手続き上というよりも思想的な意味での「脱・脱政治化」で……。ネット上で「やったぜさすが、ナントカさん‼」とか言ったり言われたりして悦に入りながら政治を動かしたような気になってる人たちって、結局は本質的には何も政治について興味がない完全に（ニーチェがいう）「畜群」の皆さんたちなわけです。いわば「脱政治化」された人たちが政治ごっこをやっている。そうじゃなくて、プラトンの「哲人統治説」から脈々とつながる真の意味での政治のマインドを人心の中に取り戻していって、それを具現化するというのは、いわゆる狭義の政治というより、人間性の回復と政治の適正化が一体となった実践だといえるのだと思います。それができれば、中華未来主義と戦えるはずだ、っていうビジョンですね。

「人間性の回復」を通して、中華未来主義的「疑似プラトン主義」を乗り越える

柴山▶政治にはいくつかのイメージがあって、大衆民主主義の中で「民主主義とは数だ」というのもあれば、国内の幅広い意見を集約し、集団的交渉の積み重ねの上に政治的合意をつくっていく、というものもある。僕は後者が本来の民主主義であって、今の時代でもそれが求められていると思うんだけれども、最近はこの二つとは違うタイプの政治のあり方も出てきている。

それが中国の進んでいる道で、賢明な指導層と無知な民衆を分けた上で、民衆は何も分からないんだから指導層が賢明に統治すればいい、そのためには「高貴な嘘」をつくことも許される、というやり方ですね。「高貴な嘘」はプラトンの『国家』に出てくる考え方です。民主主義が台頭する以前にはヨーロッパでもそういう考え方は根強くあった。統治は秘儀なので、民衆に全てを見せる必要はない。全ては賢明なエリートが決めて、あとは民衆を善導すればいい、と。もちろんプラトンはそんな単純なことは言っていないので擬似プラトン主義というべきでしょうが、中国はすでにその道を進みつつあって、アメリカもそうなりつつある。

現にアメリカでは、今回のコロナ騒動で感染症センターの研究者が「パンデミックが起きる」と警告を発したら、トランプに完全に封じられてしまったということがあった。統治者が事実を都合良くねじ曲げるのはヒットラー的とかいわれて激しい非難の対象となった。一番はもちろん中国ですね。

言論機関が権力をチェックする機関ではなくて、プロパガンダの片棒を担ぐ機関になっていく。そういう変化は今やどこの国でも見られます。こうした政治のあり方にどう対抗するかっていうのは、かなり大きな問題ですよね。

藤井▶独裁は独裁でも、プラトンがいった哲人による「真善美」の独裁じゃなくて、俗物による「偽悪醜」の独裁ですね。それが当たり前になると、中国のアドバンテージが非常に強くなる。

柴山▶そうです、まさに。

與那覇▼疑似プラトン主義はITと相性がよくて、要はプラットフォームの設計者だけが世界で一番偉く、一般のユーザーはバカでいいんだと。凡人どもの動線なんて設計者が完璧に管理してやるよという発想は、GAFAやそのワナビーの間で強い。いわばデジタル・プラトン主義（笑）。

柴山▼しかも「高貴な嘘」だから、民衆には幻想を持たせておこう、と。今が幸せで自由なんだと思わせておけばいいという。

與那覇▼しかし平成期の政治制度論と同様、人為的に「いじりやすいから」という理由でテクノロジーに注目する発想は、実際には「安易な嘘」に過ぎないように思うんです。手をつけやすいからと、そちらにばかり注力しても、人間性が劣化していけばニヒリズムは止まらない。むしろ人間性に対する信頼を回復させる方が、実は先じゃないかって気がしてきたんですね。

保護主義の強調と、流動性の抑制を通した「人間性」の回復

川端▼人間に対する信頼性の回復ってそんなに難しくないんじゃないかという感じもするんですよ。さっき言った労働組合の人たちとしゃべっていたら、まあこれは労働組合だけの問題でもないんですけど、どの職場でも若い奴は忘年会に来ないという。

與那覇▼飲みニュケーションを嫌う。

川端▼なんでそうなったのかというと、いろいろ理由はあるんでしょうけど、彼らの職場の場合、二、三年で新しい部署に異動する人事ローテーションが導入されたのが大きな原因じゃないかというんです。私が以前勤めていた会社でもそうでしたが、若手が入社して二、三年で異動すると分かっていたら、しがらみを面倒だと感じる人はそりゃ忘年会なんて行きませんわね。

　でも、「最低十年はそこにいろ」と言われたら、たぶん行きますよね。そして、そういうしがらみの中で、半ば嫌々ながら培われる人間関係から学ぶことはたくさんある。上司や先輩というのは抑圧的で鬱陶《うっとう》しいことも多いですが、「なかなかいいこと言うな」と思ったり、助けられたりする瞬間がたまにあって、それは仮に一回あるだけでも案外信頼できるようになるんですよね。

　昭和的なおじさんのありがたみを理解するには時間がかかるんです。だから、アルバート・ハーシュマン

がいったようなイメージですが、「移動禁止」とすることの効果は意外とあるんじゃないかと。

藤井▼ハーシュマンの離脱か発言か（イグジット・オア・ボイス）という理論ですね。ある組織に属している人がその組織に不満がある場合、その組織から離脱してしまうか、あるいは、離脱しないなら、発言して状況改善の努力をし始める、という論理。これは会社や組織だけでなくて、たとえば「まちづくり」の現場でも当てはまっていることが実証的に確認されていますね。

川端▼流動性を無理やり止めるわけです。まぁ、それができるかというと今の世の中ではなかなか通らないんですが、流動性をある程度止めることで回復される人間性というのはあるんじゃないかと僕は思う。

浜崎▼その中で、なんとか工夫もするし。

藤井▼そうですね、広くいうと、グローバリズムに対する保護主義を導入すれば、それだけで人間性の回復の契機が得られる、というわけですね。だけど社会学的には流動性を低めれば凝集性が高まるという、ある種の当たり前の話もある。

與那覇▼一方で流動性志向か長期雇用の維持かにかかわらず、日本は「他人に声をかける」こと自体が、異様にハードルの高い社会になっていませんか。

藤井▼そうですね、発言の有無は、離脱の可能性にも依存していますが、もちろん、その他のいろんな要因にも依存していますからね。

與那覇▼たとえば私自身、アパートに住んでますが、隣の部屋に挨拶には行かない。不審者だと思われたら嫌だから（笑）。逆に私の部屋にも隣人は来ない。結果、コロナ禍のパニックによる「買い占めで生活必需品が切れちゃって」というとき、融通してもらいに行くこともできないから、各々が自分で買っておかざるを得なくなって、本当に店の棚から消えてしまう。

浜崎▼まさに、悪循環ですね。

與那覇▼社会学的にいうと再帰性ですね。結果として、より他人を信じなくなる。ここに手をつけずに、SNSの仕様なんかいじっていたってどうしようもないと思う。

必然（エントロピー）に抗う意志＝政治で、中華未来主義と戦う

浜崎▼こういう「悪循環」にぶつかったときに、いつ

も思い出すのは、福田恆存がいう「天才」の話なんですよ。そこで何を言われようと、何をされようと人に声をかけるんだと（笑）。僕が文学をやっているからそういう発想になるのかもしれないけれど、つまり、論理的に考えると悪循環しかあり得ないところで、それを打ち破れるのは、システムの外を生きている「天才」だけなんですよ。

與那覇▼うーむ、英雄主義ですか。

藤井▼それって、さっきの脱政治化と脱・脱政治化（政治化）の対立と全く同じことですよね。皆が脱政治化している風潮の中で、胆力ある「天才」がその風潮に戦いを挑めば、意外とがらりと風潮が変わることがある。

浜崎▼そうです。もちろん、「天才」なんてバカみたいって思う人は多いでしょ。でも、歴史を振り返れば、「理屈では、あり得ない人」はいっぱいいたし、その存在によって実際に歴史も動いてきた。もちろん、事後的に見れば、「天才」を生み出す土壌はあったということになるんでしょうが、しかし、事前においては、一つの「飛躍」を考えない限り、僕たちは悪循環から抜け出せなくなるんですよ。

與那覇▼ただそれは非常に「ホリエモン主義」的じゃないですか。多動力でとにかく声をかけまくり、現状を壊す。

浜崎▼いや、そうじゃないんです（笑）。ホリエモンは、有用性の価値観というか、結局はシステムの中にいるから行動の予測がつきますが、「天才」はシステムの外を生きているので、予測がつかない。端的にいうと「天才」というのは、「知性」ではなく「勇気」の問題なんですよ。

藤井▼今のお話を聞いて思ったのは、「中国化」「サイノ・フューチャリズム」的現象や脱政治化現象っていうのは、結局、ハンナ・アーレントが論じた「全体主義」現象そのものだということですね。彼女の全体主義論の特徴の一つが、全体主義を一つの思想的状況と見ずに、単なる社会的な力学だけで事態が「渦」のようにオートマティックに展開していく社会的力学現象だという点です。

　これを全体主義現象と呼べば、中国化も、資本主義の進展も、今の日本で皆が「声をかけなくなっている現象」にしろ、全部、全体主義現象だといえるのだと思う。

で、その中で「政治家」というのは一体どういう存在なのかというと、そういう意図のない、単なる物理現象としての社会的力学現象の「渦」に「意図」を介在させることだと思うんですね。意図でこの流れを、無理やり変える。それが、先ほど浜崎さんがおっしゃった福田恆存のいうところの「天才」なのだと思います。それは、ソクラテス・プラトンに接続すると、哲人統治を行う哲人だということになる。

先ほど「パルチザン」と言ったのと一緒なんですけれど、中国化という一つの大きな全体主義の渦があって、これに対して我々は「NO」——何か左翼みたいですけれども（笑）——「NO」を突き付けてですね、この流れに俺は抗《あらが》うんだと。そこにバカみたいに突っ込んだら、単に「アレー」って吹っ飛ばされるだけですけれど、何とか抗うべくパルチザンでも地下活動でも何でもしながら、ある時に、天才を誰か見つけてそいつを使って、あるいは誰もいなけりゃ乾坤一擲《けんこんいってき》、半ば玉砕覚悟で自ら飛び込んで——むろんそれは、プラトンがいった哲人が万やむを得ず政治に赴く契機そのものですよね——その流れを少し変えていくということが、中国化や中華未来主義、加速主義と戦う唯一の方法なのではないかと。

ハンチントンが『文明の衝突』でいっていたように、客観的な情勢分析をすればするほど、日本というのは中国に飲み込まれてしまうだろう、つまり、中国全体主義の大きな渦の中に日本も近い将来巻き込まれていくのだと思いますが、我々が「生きている」ってことは、この「中国化」と戦うことそのものなんだと思います。そもそも生命の定義そのものが、エントロピー（無秩序さ）が拡大していく中で、無理やりそのエントロピーを縮小させるものこそが生命の定義なわけですから。

與那覇▼自然に放っておくと世の中こうなるよ、という状態のゴールが中国で、つまりエントロピーの極点だと。

藤井▼そうですそうです。で、その中で汗臭いといわれようが何しようが、「戦おうぜ！」、これが生命だ、っていう。

浜崎▼そう、ベルグソンも"élan vital"（エラン・ヴィタル：生命の飛躍）って言っているじゃないかと（笑）。

與那覇▼しかし、ベルグソンもある意味で自然志向ではないですか。

浜崎▼その「自然」というのが、まさに「空間論理」を超えているところがミソなんです。たとえば、ベルグソンによれば、イエスや仏陀も一種の「天才」なんですが、彼らは、人間におけるエラン・ヴィタルの具現化です。機械的にこわばった静的な秩序を、それこそ「創造的」に「進化」させたじゃないかと。彼らは、その当時の社会システムから考えれば「全く意味の分からない奴」なんですが（笑）、その「意味の分からない奴」が、一人出るだけで歴史が変わることがあり得るんだと。

では、この「意味の分からない奴」は、どうやって人を説得するのかというと、それこそ一種の「音楽的直観力」というか、「生命的持続感」なんですよ。だから、「意味が分からない」にもかかわらず、人々は、その人の情熱に触れると感染するんです。この感染力が、人々の生命を動かすことになる。ここまでくると、その直観を「信じること」ができるのかという問題にもなりますが。

與那覇▼なるほど。エラン・ヴィタルを、根源的に反エントロピー的なものとして捉えるわけですね。

浜崎▼その通りです。つまり、生命という自然なんですね。

與那覇▼でもエントロピーとエラン・ヴィタルは、外見上で区別できますかね。どちらも個人単位の主体性というより、大勢というか流れでしょう？

浜崎▼エントロピーに対する生命の抵抗は、人間の場合、個体を通じて表現されるしかないんですが、しかし、それを支えているのは潜在的な「後ろから押してくる力」なんですよ。

藤井▼だから神ですよね。

浜崎▼まさに、そうです。この問題は、最後は「信仰」の問題とリンクするはずですよ。

與那覇▼それはなかなかハードルが高いところにきましたね（笑）。日本人の生活感覚に一番しっくりくるのは、柳田國男が『明治大正史 世相篇』で用いた「群を抜く力」ですが、しかし柳田も英雄待望論がかえって、自治の気風を削《そ》いでしまう副作用を指摘している。西洋的な教養を背景とする福田恆存も含めて、あまり欧米の「レベルの高い」モデルを要求しない方がいいのかなと、そういう諦観が私にはあります（苦笑）。

天皇制が溶解し、インテリが文化や社会を語る言語を失い、共同体が崩壊した

柴山▶先ほど「どうして隣人と気軽に声をかけにくい社会になったのか」っていう話がありましたが、一つの説明は、そういう普通の社会関係を正当化する言語を失い始めているからだと思うんです。我々が日々、生きている中で感じているリアリティと、それを説明する政治学や法律学、経済学といった社会科学の言語があまりにずれているのが大きな問題じゃないかと。

與那覇▶それは痛感します。

柴山▶一例を挙げると、ある朝日新聞の記者が「日本国憲法は人類の理想だ」「日本にはまだ人権や権利の意識がない」と長広舌を振るった後に、飲み会に行くと「あ、先輩どうぞ」みたいな感じで年長者をひたすら立てている光景を見たことがあります（笑）。頭で考えていることと、生活の現実が分裂してしまっている。これは日本の近代がずっと抱えている問題ですね。

知識人はこの分裂を何とか埋めようとしてきた。我々が文化として自明と感じているものに対して、しっかりと言葉を当てていくというのは、わりとオーソドックスな作業だと思うんです。だけど今は、みんなそれを放棄し始めているんじゃないか。その弊害ものすごく大きいんじゃないかと思うんです。

たとえばリベラルな人たちが、権利だ人権だ、ポリティカル・コレクトネスだと頭ごなしに持ってきて、人々を啓蒙しようとする。本当は、日本の文化の中にそれらの概念と呼応するものはあって、知識人はそこをつなげていかなければいけないんだけど、生硬な理念による文化否定ばかりが目について、なんか変だな、息苦しいなということになっている。

藤井▶そこで、日本のインテリジェンスはどう考えてきたかというと、こうだと思うんです。前近代は階層的な共同体を維持していくことで、その中に埋め込まれた文化や倫理も同時に保存していった。ところが近代化して、国民国家を作ろうとすると、国民の数も小集団の数も圧倒的に増えてくるし、国家全体の一体性が保持しづらくなってきた。そんな中で、国民国家の一体性、ナショナリズムを獲得するために、半ば意図的に持ち出したのが天皇制だった。

天皇制というものがあって、我々は同じ国の家族ですよね、という感覚がギリギリ確保できる状況を保っ

ている。で、これがある限り、日本の階層的な一個の共同体は曲がりなりにもどうにかこうにか統合され保持され、それを通して日本人の倫理や文化、そしてそのための適切な言葉も最低限保持されてきた。

ところが天皇制が弱体化してくると、日本型民主主義の中では、階層社会そのものが溶解し、そこに埋め込まれる格好で保存されていた倫理も文化も劣化し、適切な言葉も失われていくという事態が起こっているのではないかと思うんです。

與那覇▼私なりの言い方でいうと、言語と身体の問題ですね。先ほどのリベラル派の記者の言行不一致にしても、言葉で議論する際は欧米直輸入のモダンな語彙《ごい》を使う。そうした用語で巧みに作文できる人が、大学や企業の試験を突破してエリートになってゆくのだけど、しかし彼らの身体感覚は全然別の、前近代的な状態のままである。

目下の、つまり戦後の日本国憲法をネイティヴとする天皇制は、その点で特殊なんです。天皇・皇族という身体を持つ存在が、憲法に記された進歩的な価値観を模範演技のように実践し、聞く国民が違和感を生じない形で「世界が平和であることを望みます」のように言ってくれる。つまり最も伝統的な身体こそが、いまだ定着していない近代的な言語を体現する、不思議な依り代として機能している。

適切な言葉が、人間性を失った中華未来主義を食い止める

川端▼先ほど柴山さんが言われた「言葉を当てていく」という問題ですが、それは重要だと思うんですよ。身体と言語でいうと、「身体感覚を言語化する努力」が今の世の中で足りていないという感じが、僕は結構するんです。

この間、ホイジンガを読み直していたんですが、ホイジンガは一九二〇年代から一九三〇年代にかけての戦間期に、「生の哲学」と「プラグマティズム」と「実存哲学」を徹底的に批判している。それには尤《もっと》もな理由があるんです。

陽明学にせよ何にせよ、どんなイデオロギーにも紙一重の両面性があって、ちょっと悪い方に振れるだけで危険な原理になる。ホイジンガが言っているのもそういうことです。第一次世界大戦後のナチが台頭してくる時代のヨーロッパの話ですが、ナチの周辺にいる

知識人が、「実存」とか「身体性」とか「プラグマティズム」というものを行動主義的な方向で利用して、ナチの運動に加担しつつあるというんです。

これはやっぱり考えておくべき問題だと思う。保守派は観念的な理想主義を嫌いますから、「己の身体性を忘れるな」ということがある。でもそのときに、じゃあ身体性に没頭すればいいかというとそうでもなくて、身体性をちゃんと言語化していく努力がないと危険なんですよね。たとえば「維新の会」みたいな運動って、ある意味身体性の塊で、悪い方に振れた実存主義であり行動主義という感じです。

ちょっと今思い出したんですが、昔、会社員時代にアリババ・ジャパンに営業に行ったんです。話を聞いているとあの会社の歴史は面白くて、最初は中国における「ＢｔｏＢ」、つまり企業間取引のプラットフォームを作ったんですよ。なぜそれが成功したかというと、中国社会には信頼のネットワークが希薄なので、ちょっと土地が離れているだけで相手を信用できないんですよね。だから掛け売りができなくて、それが市場経済の発展を阻害しているという問題があった。そこでアリババがオンライン上に上手い仕組みを作って、第三者として取引を仲介することで、見知らぬ相手でも騙《だま》される心配なく商売ができるようにした。すると、そこから中小企業間の取引が爆発的に広がっていったという話なんです。そのとき中国人は、「不信感が払拭できると、こんなに商売は面白いんだ」という感覚を持ったようなんです。テクノロジーが、重要な人間的発見をもたらすことってあるんですよね。

でも、その後どうなったかというと、むしろ「人間が信用できなくても構わないような仕組み」をどんどん洗練するという、「フューチャリズム的方向」に行ってしまった。まぁ一つの必然なんでしょうけど、「信頼は偉大だ」という感覚を持ったときに適切な言葉を与えることができていたら、もっと多くのことを学べたかもしれないし、いい方向を選べたかもしれないなと。

藤井▼言語があれば、身体的な実践に対して適切な「解釈」が付与されて、適切に判断され、それを通して政治が適正化されて、中国化というものも一定程度抑制が効くはずだということですよね。

川端▼ホイジンガは、「実存という言葉がこれから流行るだろう」とか「反知性主義が猛威を振るって知識人は排斥されるだろう」とか言っていたんですが、その予言は当たりました。あまり知性主義者的なエリート思想にこだわる必要もないでしょうけど、やっぱり「言葉を使える人間」の役割は大きいと思う。

與那覇▼しかし今はむしろ、「言語化することの喜び」を味わえない人が増えていると思うんです。先ほどの言語と身体の二元論は『知性は死なない』（文藝春秋）という、私自身の闘病記で展開したものでした。ところが病気も含めて、体験の「神髄」は言葉で語れるはずはないんだというような、そういう社会的なプレッシャーを日々感じるんですよ。

一同▼ああー。

藤井▼白痴化みたいな感じですね。それってなんでなんでしょうね。

與那覇▼無口な職人気質への憧れですかね。

藤井▼言語化する喜びっていうのは、解釈学的循環が回る瞬間の喜びですからね……。

與那覇▼映画好きでも映画評論家はムカつく、音楽ファンだけど音楽評論は大嫌い的な。身体的に「いい！」と感じていることを、言葉で説明されると「賢《さか》しらな感じ」がして不快になる。

藤井▼でもきっとそれって、「賢しらな感じ」を感じている側が悪いんじゃなくて、不快な奴が「賢しらしく語っている」からなんじゃないですか……？。きちんとした評論があればフムフムとなるんじゃないかと。

浜崎▼そう、まさに文芸批評なんて「きちんとした評論」を信じているからあるわけで。

與那覇▼そこは自信が持てないな。

浜崎▼だって、落合陽一なんて「賢しらに語っている人」の代表でしょう。それを読んで、本格的に言葉を身につけようと思ったり、評論に人生を賭けようと思うわけがない。

與那覇▼うーん、そうですか（苦笑）。

藤井▼昨日たまたま動いている落合陽一さんっていうのを初めてテレビで見たんですけど——まさに、「賢しらな感じ」で話してらっしゃって、メチャクチャ引きましたね（笑）。

浜崎▼まず、「言葉を味わう機会」が少なくなっていることが決定的ですね。しかし、それも、文学部を潰しまくっているわけですから、もうこれは必然ですよ（笑）。

言論界における「言葉」の重要性、市井における「立派な大人」の圧倒的説得力

川端▼ところで與那覇さんのこの本の結論部では、中国的なものと江戸時代的なものは、どちらかを選ぶというよりも、それぞれのボトルネック、つまり悪いところをしっかり論じようとおっしゃっている。それは一つの大事な指針になると思う。世の中がどうやったら良くなるかは分からないけど、悪いところは理解しようという。

與那覇▼目指すところはミニマムに行こう、つまり「最悪を避ける」を指針にしようという話なんですね。同書のように社会類型論をやると、だいたい「二つの社会のいいとこどりをしましょう」といった安易なオチになるじゃないですか。しかし実際には、それは歴史の文脈を無視した外国のつまみ食いになって、かえって前より悪くなることが多い。

とはいえ何の方針も示さないのも無責任だと思って、「可能な限りミニマムな倫理を」という形で提案した次第でした。

浜崎▼いや、本当に勉強になりました。

川端▼未来主義を、保守派から批判する試みって……。

浜崎▼ないでしょうねー（笑）。『現代思想』がやるならまだ分かるけど。

川端▼加速主義はもともと批判的に紹介されてきたという文脈はありますが、それは左翼の内部の、セクト対立みたいなものに過ぎませんからね。保守派がそこに関心を持って批判するというのは重要なことです。

柴山▼加速主義というキーワードが出ることによって、人々の認識も変わっていくかもしれませんね。ぶっ壊さないと始まらないっていうスタンスの橋下徹は、典型的な加速主義者でしょう。そういうキーワードで理解すると、見え方が変わってくるんじゃないでしょうか。そもそも、定義上、保守が加速主義ってあり得ないわけですから（笑）。

藤井▼ホントにそうですね。そういう言葉を適切に与えていくっていうのはやはり、「言論界」の責務、ですよね。そしてそれと同時に、「市井」においてとりわけ重要なのは、当たり前の話ですが、大人の「背中」ですよね。たとえば、いろんな言論人や作家みたいなのがTVでのさばって中国化し始めるのは、立派な大人がいないからなんですよ。

身の回りに立派な大人が一人でもいたら、「これが正しいんだ」ってすぐ分かりますから。まともな大人を見たことがあれば、どうしようもない大人は一瞬で分かります。新鮮な魚食べたことがない人は、腐った魚を食べても、それが腐っていることが分からずに普通だと思ってしまうということですよね。最近の学生を見ていても思いますが、「あぁ、今まで立派な大人を一人も見たことないんだろなぁ」ってしみじみと思う時が結構ありますよ。

浜崎▼本当につくづくそう思いますね。

藤井▼相当深刻ですね。

與那覇▼いまフィクションでも描きにくいですからね。立派な大人は。

浜崎▼映画の『万引き家族』がちょっと評判になりましたが、あそこで描かれているのも、システムに毒されてはいないとはいえ、決して「立派な大人」とはいえませんからね。

與那覇▼クリント・イーストウッドみたいな反時代的な人間しか、「立派な大人」を演じないと。

柴山▼ああいう反動主義者しか、良質なフィクションが作れないんでしょうね、今は。

藤井▼でも、反時代的な人間であっても、立派な大人がいるというのは、まだいいですよね。日本ではもう、どうしようもなくお寒い状況ですがね……。本日はどうも、ありがとうございました。

第2部

本当の中国を知らない日本人

東アジアの中国と日本

ヨーロッパの勢力均衡に対し「礼」を秩序原理としてきた中国。
その違いを知ることで中国への〃対抗〃の仕方が見えてくる。

岡本隆司

［聞き手］藤井 聡

日本が中国を侮り続ければ、中国に飲み込まれる

藤井▼本日はお忙しい中、お時間いただきありがとうございます。今回の特集「抗中論」では経済学的、政治学的、地政学的な様々な視点から中国の問題を取り上げようと思っているのですが、ぜひ、歴史学の視点からの議論を掲載したいということで、中国史研究の第一人者であられる岡本先生のお話をお伺いしたいということで参上した次第です。よろしくお願いいいたします。

岡本▼とても「第一人者」ではないので、ご期待にお応えできないかもしれませんが（笑）。

藤井▼今回の「抗中論」の主旨は文字通り、大国中国と、いかに対抗すべきなのかを論ずるものです。いわゆる保守論壇、さらにはそれを中心としたいわゆる「ネトウヨ」と呼ばれる言論空間では、とにかく中国や韓国が「嫌い」だという嫌韓、嫌中の論調ばかりが横行しています。

岡本▼ホント、それでこちらは商売あがったりです（笑）。

藤井▼なるほど（笑）。その嫌中論調ですが、一気に加

速したのはやはり安倍政権期。そしてそんな単なる表層的な気分やムードだけの論調が横行する中で、中国の実態がどんどん隠蔽《いんぺい》されていきました。最大の問題は、中国の本当の実力を過小評価している点。そもそもああいう嫌中ムードは、自分たちの自尊心をお手軽に保つために、「中国は崩壊する」だとかなんだとか言って、中国なんてたいしたことはない、やっぱり俺たちニホンジンは凄いんだってことにしたいという、陳腐な社会心理学的動機だけに基づくもの。そんな共同イメージで中国の真の実力が認識できなくなっているわけです。

　ですが実態はもはや、あの大国アメリカですら抑え込もうにも抑え込めないと諦めかけるほどに中国は強大になっています。台湾を本気で取りにくるリスクは年々高まってますし、台湾の一部であると彼らが言って憚《はばか》らない尖閣も取られるリスクが現実化しつつある。その中で、日本は世論に「尖閣くらいいいじゃないか」という気分すら漂いつつある体たらく。

　歴史的に考えますと、前近代期に中国がアジアに確立させたいわゆる「冊封体制」から、日本が「日出処の天子」という書簡を聖徳太子から皇帝に出したところから、「独立」したとしばしば言われます。その「独立」において日本は地政学的に日本海、さらに朝鮮半島という緩衝帯で中国から守られつつ、独自に発展し、近代になってから日清戦争、日露戦争、日中戦争に勝つことを通して東アジアにて日本が中国に代わって覇権を獲得していった。

　ところが、尖閣がもし中国に取られるようなことがあると、東アジアにおける覇権国の地位が日本から中国に移ることになる。立場が逆転するわけです。これは我々の目には大変な異常事態に映る。

　でもよくよく考えれば、それは意外と異常事態でも何でもないとも言える。そもそも産業革命以前の千年、二千年の歴史を見据えると、中国は世界のＧＤＰの相当な割合を長期にわたって独占していた。日欧米

岡本隆司（おかもと・たかし）

京都府立大学文学部教授。65年京都市生まれ。神戸大学文学部卒業。京都大学大学院文学研究科博士課程単位取得退学。博士（文学）。明代から国民政府に至る中国の対外関係を研究。特に貿易・外交の方面から国家構造と国際秩序の解明に取り組む。著書に『近代中国と海関』（第16回大平正芳記念賞）、『属国と自主のあいだ 近代清韓関係と東アジアの命運』（第27回サントリー学芸賞）、『中国の誕生 東アジアの近代外交と国家形成』（第12回樫山純三賞、第29回アジア・太平洋賞特別賞）など多数。

が強く中国が弱かったのは産業革命以降のわずか二百年余りの期間だけで、長い歴史でいうと中国が強いというのはかなり安定的な状況だったのかなと。

岡本▼そうです、そうです。

藤井▼そんな中で日本はなんとかその大国中国の影響から逃れてきたのは、先にも指摘した地政学的な幸運があったからだと言えるわけですが、運輸通信技術が発展したいま、そのラッキーな要因もなくなりつつある。

そんな中で我が国日本がいかにして中国に対抗していくかを考える、というのが、僕がイメージする「抗中論」の骨子なんですけど……。中国史学者の立場からぜひ、様々なお話を伺いたいと思っているという次第です。

中国を一切理解していない日本人

岡本▼まず、日本の論壇、ないし意識の現状というのは、確かに嫌中、嫌韓ムードです。ところが昔ですと、「中国好き」というか、日中友好があるべきだという考え方が、一般的でした。中国に対する好感度も、我々が子供の時代には、とても高かった。私もどちらかというと、中国にシンパシーを持ったような気分でたぶん、この業界に入ったような気がします。

藤井▼「パンダ外交」とか言われていた頃ですよね。

岡本▼はい。でもそれが数十年経つうちに、逆転してしまった。私自身は、世上の好き嫌いはどちらでもいいのですが、こんなふうにガラッと変わるのが、日本人の短絡的な中国観、中国に対する確乎《かっこ》たるスタンスを持っていないことの証左なのだろうと思いますし、その点がより重要です。日本人の中国に対する意識、認識の甘く、そして浅いことが、そこにも表れてまして、そういう浅い認識で中国を論じているのが、一番気にかかるというか、非常に危ない、という危惧《きぐ》を持っています。

嫌いよりは好きな方がいいとも言えますが、何もわからずに好きであるよりは嫌いの方がまだマシだとも思います。中国は毛沢東の文革の時代も、それ以前もそうですが、リアルタイムにはなかなか見えない国なんです。それが、情報技術の進展などで、かつてよりは幾分いろんな部分が見えるようになって、それを見て皆嫌いになり出したのですが、昔の「盲目的に中国が好き」な時よりは、マシな気はしています。つまり浅い認識で見えないままよりはあまり変わっていないんですが、なりふり構わず好きであるよりは、まだ嫌いで遠ざける方がマシかと。

ただ、いずれにしても「よくわからないまま」というのは、ご指摘のように憂慮すべき状況です。幾分情報が入るようになってきたとはいえ、やっぱり中国にはよくわからない部分がたくさん残っている。なのにわからないままに、いろいろなことを論じていること自体が非常に問題だと感じます。

冊封体制は植民地主義と異なる「礼」システムである

岡本▶なぜ「わからない」のか、というあたりが、実はポイントで、そこにアプローチするのに歴史も少し役に立つかもしれない、と思います。もちろん歴史だけではわからない部分もありますが、歴史を知れば少しわかりやすくなったり、あるいはわからないことを自覚できると思います。

そんな前提で考えると、いくつか論点があります。一つは外交的なところで、尖閣の話とか、アメリカとかとの関係、おっしゃっていた「冊封体制」の論点。とりわけいわゆる「冊封体制」は、一体どういうもので、日本はそれとどう関わったのか、あるいは、いま現在は、それがどうなっているのか。そうしたところがポイントになると思います。

一口に「冊封体制」といっても、人によって解釈が異なっています。最近の「中国が大国化」している中で国防的な観点から議論する方は、「冊封体制」というと、要するに中国が上に立ち、周りの国々を属国と見るというイメージで語ることが多い。でも中国の方々に言わせれば、「冊封体制」はヨーロッパ的な植民地主義や従属化を伴って主権を奪うような、支配―被支配体制とは全然違って、もっと緩やかに各国の主権を尊重するような理想的な体制なんだという議論も一方であるんですね。

「冊封体制」は中国にもともとあった儒教的な考えに則《のっと》っているものです。儒教的にいうと、人と人の関係も、集団同士の関係、国と国との関係も皆、要するに、結局は上下関係なんですね。我々ですと、「人類皆平等」とか「基本的人権を誰もが持っている」と思うんですが、これはとても西洋的な考え方です。よく考えてみると、「平等」な関係や全く対等な関係なんて現実にはありえない。我々の人間関係だって必ず上下関係を設定するところから始めて、相手と関係を円滑にしようと思うと、必ず相手を持ち上げて自分はへりくだる。組織の中でも上司と部下がいて、普通の家族においても父親がいて子供がいて、というのがごく普通で、上下関係で成り立っている。

でも議論するとか、学問的に考えると、平等とか対等ということになって。それは西洋的なキリスト教の「神の前の平等」というところから始まっているもので、それは非常に西洋的な考え方。でも儒教は神の存在を認めない考え方で、人間関係のリアルなところから始まりますから、上下関係を設定する。

そうすると、国際関係というものも、大きいところが上に立って、小さいところが下に付く。でもそういう上下関係というのは、上のものがしたいようにすれば関係が破綻《はたん》するので、上のものは、上に立つだけの節度があって、下の方は下で分をわきまえて、というのが理想的な形です。そういうところから「冊封体制」というのも始まっていて、下の方は上をちゃんとリスペクトする、上の方は下の方をきちんとかわいがるというのが、理想的なフィクションで、そこから成り立っているわけです。

ただ、理想だけ語ればそうではありますが、現実はなかなか理想通りいかないので、現代的な大国の横暴みたいなのが出てくるわけです。

とはいえ、その関係は本来的に儀礼的なもので、「儀礼」とはそもそも単なる形式です。我々も頭を下げて形式的に謝ったりしても、本心から悪いと思っている場合はあまりなかったりする（笑）。敬語とかを使っていても、「このやろう」と腹の中で思っていたりする。それと同じで、韓国もベトナムも、「冊封体制」に入っていた国々は一応中国に頭を下げて、従っているようなふりをしていますが、腹の中では中国のことを馬鹿にしているに決まっているわけです（笑）。

そういうのが「礼」の関係で、本心を露骨に出せば、人間同士でも関係が破綻するので、一応、建前的には頭を下げます。で、そういうことを中国側もわかっていて、「下げたらそれで良しとする、あとは勝手に、中国の害にならない範囲でやりなさい」というふうに振る舞う。そして「万一害になるようなときには実力行使しますよ」ということでやっているわけです。

変わり者で、空気を読まないKY日本

岡本▼問題は日本人なんですよ。日本の中国との関わり方は東アジア全体で見ると非常に特異なことをしている。おそらく日本が中国のことがわからないというのは、どうもDNA的な問題のようで、おっしゃった「日出処の天子」なんてことは、ほかの国は絶対に言わないんです。

藤井▼なるほど！

岡本▼要は日本は儒教的な「礼」を知らないんですね。もちろんそういうのは漢語とか漢字とかを知らない西洋人だったらありえるわけですが、日本人は漢字文化を使っているくせに、なぜか礼がわからない（笑）。日本はずっとそういうことで来てるんです。ですからモンゴル帝国とかが攻めてくると、一人抵抗したりするし、豊臣秀吉が朝鮮に出兵したりもする。

　ですが、それはすべて、いわばKY（空気が読めない）なわけです。つまり日本はずっと東アジアのKYなのです。だから韓国とかは日本を「こいつらは野蛮な奴らだ」「自分たちはわかっているけれど、あいつらはわかっていない」というイメージを持っているのです。そして中国は日本は非常に不気味な国だとずっと思っているのです。

　これも、DNA的なところです。

　そういうことを日本人自身が自覚していたら、もう少し中韓に対して違うアプローチとか行動、関係の持ち方もあると思うんですが、そこがわかっていない。

藤井▼なるほど。それは多くの国民も、とりわけ保守と呼ばれる人々も全く理解していないポイントですね。ただ、元寇の話がありましたが、モンゴル帝国による侵略に対しては、日本以外の周辺諸国も抵抗はしたんですよね？　でも、いまのお話からすると、どこかで手打ちをしてきたわけでしょうか？

岡本▼そうです、そうです。そもそもモンゴル帝国は、武力侵攻前に最初に文書を出したりするのですが、これをすぐ侵略と見なしたり、反発して返書すら出さないとか、挙句の果てには使者まで斬《き》ってしまうというようなことを日本はやったんですが、他の国はそういうことは絶対しないんです。

藤井▼となると、モンゴル帝国は、虐殺的なことはあまりやってなかったわけですね？

岡本▼していない、というのが最近の通説です。

藤井▼元だけでなく、隋とか唐とかも民族浄化的なこ

とはしてないと?

岡本▼していないと思います。むしろ、私なんかは「多元共存」と言っています。とはいえ、すべて穏便に済ませてるかというとそうでもなくて、一罰百戒《いちばつひゃっかい》みたいなところがあって、一か所、一回はかなり惨《むご》いことをやったりしますが、「どうだ、見たか」「従え」と。従えば、あとはそんな惨いことはしなくなる。

藤井▼ということは、冊封体制とは「礼」さえしておけば植民地化せず、服従する側の「主権」も一定守られる、と。

岡本▼そうです。歴史的にそういう感じだと言われています。

藤井▼となると、日韓併合における韓国の扱いなんかは、かなり東アジア的ではなかったわけですね?

岡本▼それはものすごく西洋的だったのです。だから韓国からの反発は未だに根強くあるわけです。

藤井▼台湾が日本に反発心がないというのは?

岡本▼一つは、台湾そのものが朝鮮半島よりも中国化していなかったというところがあるかと思いますね。中国、漢人が入植し始めた頃は、日本人が台湾に出兵して「このままじゃ台湾取られるかも」と思って、それ以降の一八八〇年代に改めて進出して、その十年後くらいに日清戦争で日本のものになるので、その意味でいうと、朝鮮半島ほど中国的な考え方とか、エリートとかっていう意識は台湾に定着していなかった、ととらえることは可能だと思います。

チベット・ウイグル問題は「現代中国」固有の問題

藤井▼そうすると、よく言われるチベットとかウイグルに対する中国共産党の態度というのは、近代的なものだと。

岡本▼近代的というか、もうまるっきり日本と同じやり方をしているわけです。

藤井▼昔はああではなかった。

岡本▼ああでなかった。だから清朝は十七世紀から十九世紀の、いまの中国より一回り大きなくらいですが、うまくいっていたんですね。清朝の皇帝、主権者というのは一方でチベット仏教の信奉者で、もう一方ではモンゴルの君主で、一方では儒教の親玉で、と一人何役もやって、それぞれをそのように活かしていた。同じようなことは唐でも元でも言えます。

藤井▼ヨーロッパとの交流では、中国はどういう態度を取っていたんですか。

岡本▼基本的にヨーロッパも他の国々と同じような形で、「頭下げればいいんですよ」ということですが、ヨーロッパ人はそこがよくわからない。漢字も読めないし。ヨーロッパは「とにかく貿易したいんだ」ということですから、中国としては「まあそれなら」と、礼儀作法は度外視して貿易に限定して付き合うようなことを始めた。礼儀作法が絡んでくると、中国内でいろいろと怒る人たちがたくさんいますから、皇帝は中国の人々にヨーロッパ人に近寄るな、ということにしたんです。それで、貿易したいところで、してればいいじゃない、というふうにしたのが清朝の時ですね。

それで南の端っこのカントン（広州）で貿易をやらせて、後にそれは香港になりますが、租界というのもそういう形でできたところです。香港は植民地になりましたが、ああいうところが街の中にできて、外国人は外国人で住んでくれ、そこで勝手にやればいいじゃない、と。

藤井▼なるほど、欧米内でも中国はチャイナタウンをつくって、全面的に交わらないようにしたのと同じですね。

岡本▼それぞれに住み分けて。

藤井▼それぞれに交わらずに、文化的コンフリクトを最小化しつつ、公益上のメリットを大人として互恵しようとしたんですね。

岡本▼それを十七世紀から十九世紀の清朝の時に定式化したんです。ただ、そういう形が定まる前にいろいろ悶着《もんちゃく》があって、いろんな勢力が貿易したいと言ってくる。中国は最初は頭を下げないとやらせない、とか言うんですが、それに対して反発してコンフリクトが起こるケースも出てくる。それが日本の場合になると、「倭寇」と呼ばれます。試行錯誤を経て、貿易したい奴には貿易だけやらせる。ただし頭下げてもいいよと言う人には下げてもらう。そうやって住み分けていくことも含めながら、全体的には緩やかなまとまりを作っていったんですね。

藤井▼だとすると、最近の中国共産党は措いておくとすると、少なくとも清までの時代というのは、戦争を最小化する仕組みが東アジアにはあったというわけですね。

岡本▼もちろんコンフリクトそのものはしているわけですが、その中でどうすればそれをミニマムにできるかということを考えて、編み出してきたやり方かなと。

中国の礼システムと欧州の勢力均衡システム

藤井▶ヨーロッパはヨーロッパで一つの秩序をバランス・オブ・パワー（勢力均衡）でもたらされる均衡解の形で保とうとしていた一方、中国はバランス・オブ・パワーとは全く異なる「礼」という原理で、秩序を保とうとしていたわけですね。もちろん、戦争も辞さないけれど、無駄な争いは極力避けようとしていたわけですね。

岡本▶そうですね。ヨーロッパの方は、一つは非常に同質的な勢力で、それぞれ一つにまとまりやすいというようなこともあったので、ああいう国境を区切ったバランス・オブ・パワーというやり方に落ち着いたんだと思います。ですが、東アジアの場合は一方で遊牧民がいたり、もう一方には農耕民がいたりと、多様だった。

しかも、ヨーロッパに比べて平原が広がっていて交通往来がしやすいので、ヨーロッパ式のバランス・オブ・パワーのやり方だとすぐに強い奴が勝手なことをやってしまうという問題もある。だから違う共存の仕方、例えば「冊封体制」、ないし「多元共存」的なありようが、十八世紀までに成立し、機能していたわけです。

藤井▶それが崩れて、ある種「日本的」とも言うべき近代的なやり方に徹底的に転換していったのが、いまの中国共産党体制であり、習近平体制だというわけですね。

岡本▶そうですね。ただし、そうなってきたのも、背景があります。まず、伝統的な多元共存というのは要するに、各地が好きなことをやっていいですよという話です。そんな中で、ヨーロッパが軍事的経済的に強くなってくると、中国各地、とりわけその周辺地域がそんなヨーロッパ勢力に、いわば〝たらしこまれる〟ようになっていくわけです。例えば（インドを植民地にしていた）イギリスがチベットを〝たらしこんで〟くることになる。

藤井▶なるほどなるほど。要するに昔はアジアエリアでは中国だけが唯一のスーパーパワーだったけれど、産業革命以降のヨーロッパの台頭で、中国を中心としたアジアシステムがその周辺から徐々に崩されていったわけですね。

岡本▼そうです。そんな中で決定的だったのが日本の台頭で、日本もヨーロッパのやり方で強くなっていった。

藤井▼西洋式の植民地支配を始めたわけですね。

岡本▼朝鮮半島、あるいは台湾を取っていった。そもそも日本の台頭前からヨーロッパが周辺から揺さぶりをかけ始めていて、中国としては「これはまずい」と思っていた矢先に、日本が近代化に成功して、ヨーロッパのやり方をやり始めて、ますます東アジアの在来秩序が崩れていったわけです。その中で重要な役割を担ったのが日本語、特に西洋の概念を翻訳した和製漢語です。その時の日本語は漢文脈でしたので、中国人にも読みやすい。そこで中国は「俺たちも和製漢語を使えば、日本と同じような近代化ができる」と思って、バラバラにされつつあった中国を守るために、日本に倣《なら》って西洋のやり方を身につけるしかない、と考え始めたのが、中国の二十世紀だったんです。

藤井▼なるほど、共通言語を作って、その共通言語を使って近代的な政治や社会を作っていこう、と考えたのが二十世紀の中国だった、ってことですね。毛沢東なんかもそう考えたんですかね。

岡本▼もっと前の孫文《そんぶん》も、さらにその先輩の梁啓超《りょうけいちょう》らもそう考えた。

藤井▼逆にいうと、欧米列強が強くて、東南アジアもみんな植民地にされて、日本とタイと中国だけが残された、という状況下で、日本は向こう側、欧米列強側に乗って向こうのやり方を使って、アジア諸国を植民地化していったわけですね。

アジアのＫＹ日本が、近代の中で多元共生秩序を破壊した

岡本▼そもそも日本は東アジアのＫＹで、中国のことをよく理解できていなかったと申しましたが、その点で日本は、中国を理解していた他のアジア諸国と違って欧米列強に近い存在だったわけです。だから、よその国の近代化はうまくいかなかったけれど、日本は明治維新という形で近代化に成功した側面があったのかと思います。

藤井▼日本の「列強化」において日清戦争、日露戦争の勝利は決定的だったとは思いますが、中国との相対的関係で日本が優位に立つにあたっては、その前のアヘン戦争での中国の敗北も重要だったのかと……。

岡本▼ただアヘン戦争の頃は、中国の知識人たちは、それほど危機感は覚えていないんですね。

藤井▼なるほど、局地戦で負けただけで、まだまだ我々の歴史の延長で対応できる、というイメージですね。

岡本▼そうですね、そういう形でまだ危機感を覚えていなかったんですが、日清戦争から変わった。「日本にまで負けてしまったのか」というような形になった結果、それまでの秩序体系、例えば「冊封体制」が大きく傷ついた。特に朝鮮半島が中国の圏内から離脱していった。それから後は、中国内部の各地域が、先ほども言ったように〝たらしこまれ〟て、バラバラにされるという危機感が非常に高まったことが大きい。

藤井▼中国はそもそも多元共生で誰かが強くなったり弱くなったりする中で互いに共生してきた。例えばモンゴルのようなかなり端っこの勢力が、ど真ん中で権力を取ることも許容するかなり柔軟な体制で歴史を紡いできていたところ、そのやり方が決定的に欧米と日本によって崩されていったわけですね。

岡本▼そうです。おっしゃる通りで、昔は秦の始皇帝がいましたが、これは当時の中国から見れば西の端というか、ちょっと違うところから出てきた人でしたし、南方の長江流域にも正統政権がありましたし、唐とかはもともと遊牧民の出自だったり。満洲、清朝もそうだと考えれば、いろんなところの浮き沈みというのはあるのは確かなんです。

ですが、ヨーロッパが来て、西洋的な勢力均衡、漢語で「列国並立」なんて言い方をしますが、要するにインターナショナルシステム、そういう国際秩序というのを知ってしまうと、中国も「一国」であるべきだという考え方が二十世紀に芽生え、主流になっていった。

となると、それまでの「多元共存」でそれぞれ好きにやっていればいいじゃないかという体制は、逆に中国を危機に至らしめるものだということになっていく。特に「好きなようにやっていればいい」と言っていたから、〝たらしこまれ〟て植民地化されていくことになる。租界や香港もその流れでできていったわけですから、中国の中では、それは屈辱だ、という受け止め方にガラッと変わってきた。

中国は「国民国家」をつくろうとしている

藤井▼なるほど、大変よくわかりました。これまでの話を一旦ここで整理しておきますと次の様なお話しですね。そもそもこのアジアエリアには「多元共存主義」という概念が存在していて、それが東南アジアからモンゴルやチベットまで至る広大なエリアで共有されていた。この思想は、儒教的なものを基盤として形成されていて、上下関係の礼を重視するもので、したがって、悪戯《いたずら》に殺し合ったり侵略しあったりしないものだった。一定の殺しあいや諍《いさか》いは当然あるにしても、無限に暴力が暴走するようなことは避けられていた。その多言共存主義は、例えばヨーロッパにおいて国を超えて共有されているキリスト教や西洋哲学や神学の様な「メタ文化」の役割を、この中国エリアにて担っていた。

ところが、その東洋的なメタ文化を理解してこなかったのが日本だった。そして言うまでも無く、欧米もアフリカも中東もみな、そんな多言共存主義をメタ文化として理解してはいない。したがって、欧米がアジアに進出し、それに触発されて日本も欧米的に振る舞うようになって、侵略や植民地がアジアエリアにおいて横行するようになった。そうなると多元文化主義はもう続けられない、日本のように欧米と同様の植民地や侵略を是認するやり方に大転換せざるを得なくなったのだ、そういうふうに清の人たちが思ったわけですね。

岡本▼そうです。清の人たち、満洲人の支配層たちもそうですし、その人たちとほとんど一体化しつつあった漢人の知識人たちが、すでに優勢になっていましたので、非常に危機感を覚えたわけです。

藤井▼ちなみに清の時代でも、清の満洲人だけじゃなくて、漢人もモンゴル人も皆それなりに地位を与えられていたうえで共生していたんですね。

岡本▼当然そうですね。

藤井▼だから、日清戦争で清国が危ないとなったときに、清の満洲人だけでなく、他の民族の知識人たちも皆危機感を抱いたわけですね。しかも日本は朝鮮半島、台湾を植民地化するだけでなく、満洲国を傀儡《かいらい》国家としてつくったわけですが、ああいうやり方は中国の多元文化主義の中にはないということですね。もちろん、日本の植民地のやり方は欧米ほどに徹底的に奴隷扱いするようなものではなかったんでしょうけど。

岡本▼そうですね。しかも日本は日本で、俺たちは多元主義だ、五族協和だとかも建前で言い出したりするんですが、実質的には植民地としか言いようがない。しかも、あの時期には中国は古い「多元主義」を捨てて「国民国家」になろうとしたあとのことだったわけで、そうなるとそれはもう、いよいよ侵略だと。

「国民国家」形成運動が生み出した香港問題

藤井▼ちなみに中国が国民国家になろうとし出したのはどのタイミングなんですか。
岡本▼見方によって諸説あろうかと思いますが、私は１９０５年くらいでしょうか、日露戦争前後、領土主権という概念が初めて中国に定着したときと考えています。
藤井▼ポーツマス条約で日本が満洲の租借権、つまり統治権を得てしまったことに対して反発心をもったというのを契機として、中国に領土主権の概念ができていった、で、さらにそれを起点として「国民国家」という概念もできたわけですね。
岡本▼まずは想念だけですけど。
藤井▼好むと好まざるとに関わらず、中国という国民国家をつくらねばならない、それ以外に生き延びるすべはない、と認識したんですね。
岡本▼ただしそれを実際にやるとなると、それこそモンゴルやチベットは「話が違うじゃないか」ということになる。だからずっと軋轢《あつれき》が起こっているんです。
藤井▼なるほど！　多元文化主義だからつきあってきたけど「国民国家」だと言われたら、俺たちは中国と同じ国民とは違う、という反発が生じた。
岡本▼そうです、そうです。
藤井▼多元文化主義なら共有できるけれど、「ネイション」という濃い物語まで共有できるほど近くはないぞ、と。なるほど。中国が国民国家化したことによって生じたのが、チベット問題、ウイグル問題なんですね！
岡本▼そういう見方で私はモノを書いています（笑）。なので、台湾とか香港も、結局はそういう点で本質は同じ。香港は、そこに居る人たちの民族は同じかもしれないが、やってきたシステムは違う。それを一国二制度と言って、一応、香港政府がある体裁にはなったけど……。
藤井▼それは国民国家を作ろうとする習近平にしてみ

れば都合が悪いわけですね。だから中国は無理矢理一国一制度にしようとして、いま揉《も》めているわけですね。

兎に角そう考えると、中国はアメリカに随分も類似していて、どちらも「人工的」に無理矢理、国民国家をでっち上げている側面があるわけですね。その結果、心理学でいう「過適応」と言うべき過剰反応が、ナショナリズムにおいて生じているんですね。もともと国民国家としてのまとまりが存在しないものだから、過剰に国家主義がでてきて、香港やチベット、ウイグルを弾圧しにかかる、という構図ですね。

岡本▼国民国家そのものが、神話とか言われるようなシステムではあるわけですし、一色で塗りつぶすとか、共通の認識とか、共通の言語を持てる空間とか、そのスケールはやはり限られていると思うんですよ。

藤井▼中国、アメリカくらいになるとちょっとしんどい。

岡本▼むちゃくちゃ……。

藤井▼EUでしんどくなっているのと一緒ですよね。

岡本▼そうですね。だからそこがやっぱり現代の問題ではないかと。そこのあたりが、日本人はどれくらいわかっていて中国と付き合おうとしているのかとか、中国の歴史的な経過とか履歴というものを、どこまで見据えて中国と向き合えるのかとか、いまの嫌中論まっさかりの論壇の議論とかを見ていますと、非常に疑問を持ったりするわけです。

藤井▼いま中国がやろうとしていることは、近代的な征服主義、膨張主義になっていて、旧来の冊封体制とは全く無縁の代物だなんて、いう認識は全く広がっていないですね。

近代国家・中国の領土戦略を認識すべし

岡本▼ただ、彼らは常に歴史で見立てて話す癖がありますので、昔の清朝の範囲はここまで、と言って、その部分を「中国」として復活させるんだ、というのが、たとえば習近平の言い分で、「中華民族の復興」って言ってるんです。

藤井▼それは厄介ですね。しかも「中華民族」なんてそもそも存在すらしないのに。

岡本▼しないです。

藤井▼ホントにアメリカと同じで人工的に国家をでっち上げようとしているのがよく分かりますね……勿論、日本の明治政府は神道を過剰に活用して国家神道化して人工的に国家をつくろうとした部分はあったとは思いますが…。

岡本▼ナショナリズムのためのそうしたフィクションの部分は、どの国でもあって当然なんですけれど、いまの中国というのはそのあたりが、非常に突出している。

藤井▼香港問題から南京問題に至るまで皆、フィクションも含めたその「突出した」話になっているわけですね。

岡本▼そうです、そういう形でどれもこれもリアルな問題になっている。だから我々はそのあたりをきちんと認識しておくことが重要なんです。

藤井▼暴走する中華ナショナリズムがチベットを飲み込み、ウイグルを飲み込み、香港を飲み込み、台湾を飲み込もうとしていて、それは当然、尖閣まで及び、最終的に沖縄にまで飲み込もうとしている。最悪、日本まで飲み込もうと……。

岡本▼となるかどうかは、判断が非常に難しいと思いますが……。

藤井▼中国は日本列島の沖縄を含む南西諸島を「第一列島線」、小笠原諸島を「第二列島線」と呼びながら対米防衛ラインに仕立て上げたりしているのを見聞きすると、対米戦のために日本まで飲み込むつもりがあるのではないか、という危機感を持ちますが……。

岡本▼ただ沖縄について言えば、その沖縄自体がどう考えているかが重要かなということはありますね。中国にもいろんな意見はありますが、昔から沖縄に対して、中国の責任ある人は皆、「自分たちのところだ」とは言わないですね。そこまで言ってしまうと本当にややこしくなるので、そうは言わないですが、「あそこが日本であるのはおかしい」とは、ずっと言い続けている。中国が公式に「沖縄は日本である」と認めたことは一度もないです。

藤井▼多元文化的な冊封体制の内部に琉球があったわけで、「独立するぞ」と国家リーダーが言って来るような下品な奴らとは違うんだ、という訳ですね。

岡本▼中国にはそういう認識がずっとあります。

藤井▼日本は沖縄、琉球を近代化の論理の中で領土の中に取り込んでいった。でもその前に自分たちは冊封体制を営んでいて、いまの中華人民共和国の領土ではないけれど「冊封体制の内部」なんだと。

岡本▼自分たちのもの、というよりは縄張りの中にあるんだ、という認識ですね。

藤井▼じゃあ、日本は「冊封体制の外側」という認識なんですね。

岡本▼そうですね、服《まつろ》わぬ野蛮な奴らという感じで見ていると思います。ただそれが、自分たちの縄張りに土足で入ってきたというような感じです。

インド、ロシア、ベトナム、朝鮮と中国

藤井▼中国はインドとも最近小競り合いがありますね。あそこも同じようなことですか。

岡本▼あそこはチベットの範囲をどう画定するかという問題からきていますが、結局、チベットは中国であるということになってしまったので、そこでずっとごたごたしている。

藤井▼ロシアは国境を接してはいますが、冊封体制の外側ですよね？

岡本▼実はロシアとの関係は十七世紀あたりからあるのですが、あそことは基本的にはきちんと境界を設けて、というのが接触の時からずっとありますね。もともとそれをやっていたのは漢人ではなくて、モンゴル人と満洲人がロシアのコサックたちとやっていた。ロシアの人たちがこっちの縄張りに入らないように、こちらの人たちがロシア側に逃げないような線をきちんと引くのが、彼らの間では通例化していたので、国境は決めやすかったみたいですね。

藤井▼コサックの人たちは中国に侵略しなかったんですね、日本のように。

岡本▼十九世紀半ばあたりにアムール川流域でロシア側からの侵略はあったんですが、その頃はそのあたりに誰もいなかった（笑）。変な言い方ですが、取られてもよかったみたいな。

藤井▼誰も気にしなかった。

岡本▼取られたこと自体はショックでしょうが、それほどでもなかった。また境界をきちんと定めるという習慣もありましたから。ロシアとの間は、昔、中ソ論争があって、北方と中国は相性が悪いから、というので中露は仲が悪くあれかし、と日本人は思いたいみたいですが、そうでもない。

藤井▼冊封体制には入らなかった。

岡本▼別格ですね。新しいですし、別種の存在という感じです。

藤井▼ベトナムは冊封体制内部ですね。

岡本▶でもベトナムはその点がうまくて、中国の圧倒的な力にかなわないと思っているわけで、その分では頭を下げる。ただ、中国が無理難題を押し付けたり、土足で入ってきた場合には敢然として戦う。

藤井▶朝鮮半島も安定はしているわけですね。

岡本▶朝鮮半島の場合はベトナムと違って、中国の中枢に近い。だから「ベトナムはいいけど、朝鮮半島は困る」というのが彼らの基本的な考え方でしょう。ベトナムも南はどうでもいいけれど、北ベトナムは押さえておきたいというのはある。朝鮮半島もそうですね。南の方、韓国はともかく、北朝鮮の部分は困る。ピョンヤンまで来られるとまずいと。

藤井▶タイはベトナムの緩衝帯もあるから、あんまり関係ない。

岡本▶全然離れてますからね。関係ないです。

藤井▶だから王国も持てた。

岡本▶ただ、中国とタイとは経済的な関係は強い。お米が欲しいんです。あそこは昔から米のモノカルチャーですから、そこではずっと経済的な関係はある。

藤井▶ところでチベットやウイグルに対するやり方が変わってきたのは、「共産党」だから、ということも何らかの影響があるんでしょうか？

岡本▶基本的には共産党であろうが、国民党であろうが、変わっていない。ただ、中国がチベットとかウイグルに手を出しやすくなったのは、共産党になってからですね。それ以前の二十世紀のはじめですと、ウイグルには軍閥勢力がいたので中央政府は手が出せなかった。チベットはダライ・ラマを中心に、インド・イギリスのバックアップがあったので、手を出せなかった。

そういう形だったので、ウイグルとチベットは中国の一部だと中国はずっと言ってはいますが、実際には、日中戦争が終わり、国共内戦があり、共産党が天下を取ったあたりから、イギリスの実力が落ちてきたために、手を出しやすくなったわけです。だから、単なるタイミングの問題であって、「共産党だから」というのはあまり関係がないように思います。尖閣とか南シナ海問題も、中国が手を出しやすい環境になってきたから手を出しているだけであって、問題の根はずっと昔からあるということです。

高まるナショナリズムで国民意識が強化されつつある

藤井▼いま中国人民は「中国国家の国民である」という国民意識が高まっているんでしょうか。

岡本▼漢人はほぼ「中国人」だと思っていると思いますね。「中国」とは、そもそも漢語・漢字の表記・概念の国名なので、漢民族はそういう意識を持っています。問題は少数民族の人たちで、彼らが自分は「中国人」だと思っているかどうかというと、「中国人」でいた方が都合がいい場合はそう言うでしょうし、そうでない人はあまり言わない。あからさまに否定しているのは香港人、台湾人ですが、それはやっぱり置かれた立場で濃淡があるかなと思います。

ただ「中国人」というのは上位概念で、その人たちの本当のよりどころは地元のコミュニティとか、自分たちの帰属している集団です。漢民族でもそうだろうと思いますし、少数民族ならもっとそうでしょう。そういう意味ではかなり重層的ではないかと思います。

藤井▼そういう意味で、かねてから、どの民族においてもその重層性の中の上位概念として「中華人民共和国」が多かれ少なかれあったわけですが、二十一世紀に入ってからの中国大国化に伴って、その上位概念の中国のシェア、あるいは存在感というものが高まってきてはいるのではないかと。

岡本▼そうですね、確実に高まっていますし、習近平はまさにそれを意図的に進めようとしています。ただそれが本当に、どこまで成功するのかというのは、まだ現在進行形ですし、わからない。ただ、いまのうちにやっておかないとまずい、と彼らは思っているのだろうと思います。

藤井▼ちなみにそういうナショナリズムは必ず何らかのフィクションを活用しますから、理論上、その活用の仕方によっては狂暴性が発出される場合も当然生まれてくる。その事例がチベットやウイグルだということなんでしょうね。

岡本▼もちろん、いまの香港もそうですね。

藤井▼それに対して欧米や日本の一般人も、眉をひそめているわけですね。中国は「野蛮」だと。

岡本▼そうです。でもそれは、国民国家になるためのハードルをクリアしている日米欧側から見た一面的なものの見方で、中国からすれば「お前らがやってきたことを、俺たちがいまやって何が悪い」というのが言い分でしょうね(笑)。

藤井▼確かにそうですね。例えばドイツだって鉄血宰相ビスマルクが、反体制分子を厳しく取り締まることも厭《いと》わない取り組みを続けたことで統一が成し遂げられていったわけですから、国民国家には生みの苦しみが必ずつきまとうわけですよね。いまの我々からすると中国人だから特に凶暴だと思いがちだし、「嫌中保守論壇」では特にそう言われますけれど、そうでない可能性も十分あるということですね。

中国の「国民国家」形成は絶望的だ

岡本▼はい。中国が本当に国民国家になりうるのかはかなり難しい。非常に困難な課題に彼らは立ち向かっているとは言えますね。

藤井▼アメリカよりも難しいですかね。

岡本▼アメリカは一応ステート（州）があって、それがユナイト（統合）している形を取るという、いろいろ問題はありますが、アメリカ的なコンセンサス自体はあるわけです。中国の場合はそこが非常に怪しい。

藤井▼やはり中国はしんどそうですね。アメリカは独立宣言だったり自由の女神だったりという、ある種のきれい事でもまとまれるし、文化的にもバドワイザーだとかジェームス・ブラウンだとか、そんなB級カルチャーでもまとまれるところがある。でも中国はそこが難しい。右から左、上から下までまとまれるものは全く不在なんじゃないかと。そうなると強権的に、習近平的にいくしかないと思っているんでしょうね。

岡本▼目下それしかない、と見ているんでしょうね。

藤井▼今日は大変勉強になりました。国民国家の概念自体が世間でもう少し常識になっていれば、今日の話が一気にいろんな人に伝わっていって、中国についてのより正しい認識に人々が近づいていって、適切かつ効果的な形で「抗中」を実践していけそうに思います。いかんせん、そうした政治哲学的な概念が世論の中で常識化していないところが、なかなか難しいところではありますね。

岡本▼それもありますし、やっぱり日本人には「日本人の常識」というのがあって、それでほかのところを捉えてしまうところがあります。日本というのは東アジアの中ではすごく特殊です。それで中国とか韓国とかを見たりすると、とんでもない間違いなんですよ。それは歴史を見るとわかりやすいんですが、なかなか共感が得られない（笑）。

藤井▼そんなはずない、と言って耳を塞《ふさ》いでしまう人が多いんでしょうね。「日本がKY？　そんなわけない」と言って。アジアにいるので、アメリカ人から見るとアジア人的なんでしょうが、アジアの中でもかなり変な奴なわけですね。

岡本▼変な奴ですよ、めちゃくちゃ（笑）。

藤井▼ちなみに先生は、これから日本はどう中国と付き合っていけばいいのでしょうか、っていう点についてはどうお考えですか。

岡本▼それは私が聞きたいくらい（笑）。

藤井▼なるほど（笑）、ただ、これからどうすべきかっていう話しは、まずは、中国のことをしっかりと、より正確に認識していくことなしには考えられないことは間違いなさそうですね。そういう意味で今日は、抗中に向けての必要条件の一つを与えて頂いたように思います。

岡本▼確かに中国を誤解したまま「嫌中」だとか言ってしまうと、いよいよこじれるばかりではありません。

藤井▼それは言わば、向こうの思うつぼにもなりますよね。国民国家を盛り上げていこうと習近平が考えている時に、こちらも同じ土俵にのって、幼稚なナショナリズムでもって「中国なんか嫌いだ！」なんて言ってばかりだと、ますます向こうを盛り上がらせてしまいますからね。

日本が成熟していれば、西洋と東洋の架け橋になれる

藤井▼いずれにしても、多元文化主義と国民国家主義が融和できるといいんでしょうけどね。

岡本▼そうですね。それは当の中国自身の問題でもあると感じますし、ひるがえってわれわれ自身も問われている。

藤井▼ちょうど、アメリカとイギリスがヨーロッパとアジアの間にあるように、日本がヨーロッパとアジアの間にあるんでしょうね。

岡本▼そうですね、アメリカと中国の間にある。

藤井▼地理的にも、政治哲学的に言ってもそうなんですよね。だから日本が英米を通して欧州と融和し、同時に日中も融和し、世界を融和していくという。

岡本▼そういう役割を果たせるようなところまで日本人はぜひ、高まってほしいと私自身も思います。そのためには、勉強することがまだたくさんある。

藤井▼幸か不幸か必然か、日英同盟と日米同盟……こ

れは同盟と言えるかわかりませんが、歴史的にはそういう関係がある。

岡本▼しかも中国という最前線にいるわけですので。

藤井▼ただ、これは数百年、千年規模の問題ですね。いまの日本だったら、融和と言っても所詮、媚態《びたい》に基づく服従しかできないでしょうし、西洋と東洋のアウフヘーベンを導く触媒《しょくばい》を日本が果たすことなど、例えば日本の政治家なりビジネスマン、さらには学者言論人なんかを見ていたら、絶対無理だという気分になりますからね（苦笑）。

岡本▼日本人は正直な人が多いので、仲よくしたいという善意は疑うことはできないと思うんですね。ただ、善意があるからと言って、相手に通じるかどうかは問題です。普通の人間同士でも、ありがた迷惑の可能性もありますし、中国の人たちはもっと複雑ですから、単にこちらが仲良くしたいとか、嫌っているとかいう直情径行的な形で付き合うのは、どちらのスタンスを取るにしても非常に危ないでしょうね。

相手の立場をきちんと理解したうえで、自分の利害もどこまで見失わずに振る舞うことができるか。そこが、今後の政治家たちにも求められているんじゃないかと思いますね。特に中国に対しては。

藤井▼もとから礼を理解できない奴らだということで日本人は中国から馬鹿にされているでしょうし、より一層、適切な友好は難しいでしょうね。

岡本▼向こうは複雑で二枚腰、三枚腰ですから、無理に仲良くしなくても構わない。向こうにはいろんな人がいるわけですし、日本のソフトパワーも捨てたものではないので、政治だけではなくて中国といろいろなレベルで交渉をしていくことはありうる。それこそ江戸時代・「鎖国」時代は理想だと私は言っているんですが。

藤井▼確かにあれくらいの距離感がちょうどよいですね。ありがとうございました。

第3部

新たな「形態」としての中国

没落する西洋と躍進する中国

一部の新反動主義者たちは中国を理想視する傾向がある。
しかし、その夢想をよそに中国政府が推し進めている
人民の統治方法は、人間の消失を示唆するものだ。

木澤佐登志

オスヴァルト・シュペングラーが第一次世界大戦の最中に『西洋の没落』というタイトルの書物を執筆して以来、この「西洋の没落」というキャッチ・フレーズは欧米世界に亡霊のように取り憑いてきた。今世紀の序曲となった九・一一、そして二〇〇八年のリーマンショックに象徴される世界金融危機は、「西洋の没落」の何度目かの回帰を告げ知らせるものだった。そして、中華未来主義という奇妙なワードは、この「西洋の没落」と深く関わっている。まるでネガとポジのような関係として。

中華未来主義（sinofuturism）とは、香港出身で現在はベルリンに拠点を置く哲学者ユク・ホイ（Yuk Hui）が、オンライン・ジャーナル e-flux journal（二〇一七年四月、八一号）に掲載した論考「新反動主義者たちの不幸な意識について（On the Unhappy Consciousness of Neoreactionaries）」の中で用いたタームである。先取りして言えば、中華未来主義とは、論考中で検討されている一部の新反動主義者たちに見られる、中国を理想視する傾向を批判的に捉えるために案出されたものである。従って、この中華未来主義というタームを正し

い文脈のもとで理解するためには、先ず新反動主義とは何か？　という問いに予め答えておかなければならないだろう。

啓蒙のグローバル化と「西洋の没落」

新反動主義とは、大雑把に言えば二〇一〇年代以降の欧米圏、それもとりわけオンライン上を主な生息圏として台頭してきた思想であり、二〇一〇年代後半にはドナルド・トランプの支持層として知られるオルタナ右翼やヨーロッパの新右翼といった思想とも共振しながら近年における西洋の思想地図にダークな軌跡を放射し続けてきた。

新反動主義を特徴づけるキーパーソンを三人挙げるとすれば、ピーター・ティール、ニック・ランド、カーティス・ヤーヴィンの三人を措いて他にない。オンライン決済サービスPayPalの創業者であり、テック企業が集まるシリコンバレーにおいてイーロン・マスクを始めとするペイパル・マフィアを束ねる首領《ドン》であるピーター・ティールは、他方でドナルド・トランプが大統領に就任した際には政権における有力な政治顧問の一人となりシリコンバレーを動揺させた裏の顔も併せ持つ。彼こそは新反動主義の王《キング》と目されている人物に他ならない。

新反動主義者としてのティールを特徴づける思想は、すでに二〇〇四年の時点で明瞭に現れている。この年、シンポジウム「政治と黙示録（Politics and Apocalypse）」において行った発表「シュトラウス主義者の時代（The Straussian Moment）」の中で、西洋近代の遺産である「啓蒙」のプログラムは、九・一一という出来事によって完全な失敗であったことが証明された、とティールは主張した。すなわち、「啓蒙」とそれに付随する普遍的でリベラルな価値観――民主主義、人権、ヒューマニズム、進歩、等々――がグローバルに輸出されていくことで、西洋は覇権を握ったかに見えた。だが一方で、そうした啓蒙のグローバル化

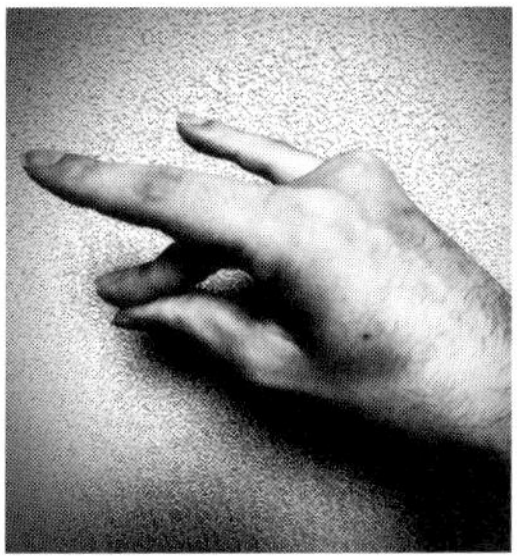

木澤佐登志（きざわ・さとし）

88年生まれ。東京都出身。文筆家。著書に『ダークウェブ・アンダーグラウンド　社会秩序を逸脱するネット暗部の住人たち』（イースト・プレス、2019年）、『ニック・ランドと新反動主義　現代世界を覆う〈ダーク〉な思想』（星海社新書、2019年）。

は西洋の固有性を失わせ、さらに個人の自由を大幅に制限するそれらの啓蒙主義的な価値観は西洋をいたずらに弱体化させることに寄与する結果となった。そうした事態は昨今の中国や東アジアの著しい台頭、そして九・一一以降後を絶たないイスラム諸国からの西洋に対する攻撃という形で一層決定的となった。よって、弱体化した上に九・一一というトラウマを抱えた西洋は、今こそ啓蒙主義的な価値観を脱することで、この破滅的な衰退から逃れなければならない。以上がティールの主張の大まかな骨子であるが、ここで表明されていることとは要するに、九・一一以後の、そしてグローバリゼーションの時代における世界的布置のもとで発せられた「西洋の没落」だと言えよう。そして、ティールはここで「西洋の没落」の原因を、遠く十八世紀にまで遡《さかのぼ》り、フランス大革命期における「啓蒙」の思想に見出すに至るのだ。

ティールが差し出す「西洋の没落」に対する処方箋は、脱―政治化、すなわち、ポリティカル・コレクトネスやアイデンティティ・ポリティクスなどを含む、あらゆる民主主義政治のプログラムからの脱出である。「政治」からの出口《イグジット》を目指すこと。たとえば、経済学者ミルトン・フリードマンの孫のパトリ・フリードマンが主導する海上入植《シーステディング》計画は、そうした「政治」からの出口《イグジット》を目指すプロジェクトの一つとして挙げることができるだろう。このプロジェクトは、どこの国にも属さない公海上に人工的な島を作り、そこに自由至上主義者たるリバタリアンのための独立自由国家を樹立することを目的とし、ピーター・ティールもそこに積極的に出資を行っていた。

ティールの有名なフレーズに「私はもはや自由と民主主義が両立するとは思っていない」というのがある。啓蒙のプログラムは自由と民主主義が手を携えることで世界に受け入れられていった。だがティールにとって、現在ではすでに民主主義はグローバリゼーション下の西洋にとって重荷でしかない。平等、進歩、人権、ヒューマニズム、博愛主義、そういった諸々の民主主義的な価値観が西洋の足を引っ張っている。こうした「啓蒙」が西洋にもたらした二律背反、ダブルバインドは新反動主義の基調低音を形成する。そして、このダブルバインドを打破し、西洋を衰退から救い出すための解決策として、脱―政治的なテクノロジーの促進、すなわち政治からの最終出口としての技術的《テクノロジカル・》特異点《シンギュラリティ》のヴィジョンが持ち出されてくるのだ。

「技術的特異点」に突き進む中国

そして、ここに至って彼らの眼前に、中国がまったく新しい非―西洋的なプログラムを持った国家として立ち上がってくる。西洋を起点とし、また頂点とする「啓蒙」の普遍化としてのグローバリゼーションのプロセスは、中国の台頭によってすべてが反転したかに見える。偉大な加速主義者である鄧小平によって推進された市場経済体制への移行は急速に近代化のプロセスを加速させ、GDP（国内総生産）成長率で日本を追い抜き世界二位に躍り出た。二〇一八年時点で、中国のGDPは一九五二年と比べて一七五倍（価格変動分を除く）に達したことが発表され、[1] 一方アメリカではトランプ大統領がアメリカの職を盗み経済を破壊させている張本人として中国を指弾した。我々は西洋が推し進めてきたグローバリゼーションの皮肉な最終局面にいる。

新反動主義者たちは、斯様な中国の躍進に自身が魅了されていることを隠そうともしない。新反動主義を代表するテキスト『暗黒啓蒙』の書き手であり、西洋的なモダニティを解体させる技術的特異点を思索し続けるイギリス出身の哲学者ニック・ランドは、イギリスの大学を辞職した後、上海に居住地を移している。ランドは、映画『ブレードランナー』を思わせるアジアのSF的な摩天楼に、没落を宿命付けられた「西洋」の〈外部〉を見出したのだった。

新反動主義者たちにとって、古臭い人権意識やヒューマニズムといった西洋的諸価値観の一切を置き去りにするトランス・ヒューマンへの移行と、それを可能にするテクノロジーの爆発的発達こそが西洋を立ち直らせてくれる当のものであった。そしてこの点において、中国はこれ以上ないロールモデルを彼らに提供してくれるのだ。たとえば、二〇一八年十一月、中国の南方科技大学が世界で初めてゲノム編集で遺伝子を書き換えた受精卵から双子の女児を誕生させたことが公表された。中国による遺伝子操作ベビーの誕生は、世界各国のみならず中国国内からも非難が巻き起こったが、新反動主義者たちの反応はむしろ真逆と言ってよい。前出の論考「新反動主義者たちの不幸な意識について」において、ユク・ホイは次のように指摘している。

ニック・ランドの上海、香港、そしてシンガポールといったアジアの諸都市に対する称揚は、生産性のために政治を犠牲に捧げる共通意志を投影した場所への率直で冷めた所見に過ぎない。政治にまつわる疲労感は、しばしば東アジアが約束する脱政治化された商業的テクノ・ユートピアへの憧憬を西洋にもたらす。言い換えれば、中華未来主義はラディカルな変革のモデルとなるのだ。

「中華未来主義」、それは大聖堂《カテドラル》のポリティカル・コレクトネスがいかなる重要な技術的発明や科学的な発見をも常に制限し減速化させてしまう、未だ幻想に囚われた西洋と異なり、中国はそうした抵抗なしに西洋の科学や技術を取り入れることをなしえた、という観念を指している。（拙訳[2]）

引用文中の「大聖堂《カテドラル》」とは、ランドが『暗黒啓蒙』の中で用いたタームで、リベラルな啓蒙的諸価値観を布教する、教育機関やメディアから成る惑星規模の支配的ネットワークを指す。上海、香港、シンガポールなどは、リベラル民主主義的な大聖堂《カテドラル》のイデオロギーを輸入することなく西洋の科学やテクノロジーのみを取り入れることができた、という点において新反動主義者にとっての理念的な都市国家モデルなのだった。

なお、「大聖堂《カテドラル》」というキリスト教的な語彙の選択は、これも新反動主義者の一人であるカーティス・ヤーヴィンによる「普遍主義」という概念と深く共振している。ヤーヴィンによれば、進歩や平等や民主主義などといった普遍的と見なされている諸価値観は、その実神秘的かつ不合理なカルトに過ぎず、しかもそのルーツはピューリタニズムというヨーロッパの一地域で発生したキリスト教の亜種に辿ることができるという。この、メイフラワー号とともにアメリカ大陸に渡ったピューリタニズムの教義は、欧米による世界支配の過程で不可侵かつ普遍的な領域にまで高められることで、見せかけの世俗主義の形式のもとで世界の支配層である大聖堂《カテドラル》の権力の強大化につとめている、と。

なるほど確かに、たとえば時代精神（Zeitgeist）という概念に象徴される、歴史の歩みを時間的な進歩――人間の普遍的本質としての絶対精神の霊的なプロセス――において測ろうとするヘーゲルの抽象的思弁が、プロテスタンティズムによって根本的に基礎づけられていることは、カール・レーヴィットが『ヘーゲルからニーチェへ』において指摘しているところでもある。もちろん、ヤーヴィンからすればこの「進歩」という名の巨大な魚は「左向き」にしか泳いでいかないのであるが。

　啓蒙主義は、科学や近代技術による普及を伴いながら、グローバルな時間軸を構築し、そこにおいて西洋近代は、他のすべての文明がそれに合わせて同期化《シンクロナイズ》るべき測定基準となった(3)。だが、ユク・ホイも指摘するように、新反動主義者らが模索する啓蒙の〈出口〉あるいは〈外部〉が、所詮は啓蒙の延長に過ぎないのではないか、という疑念は付きまとう。技術こそが真に普遍的なものであるとするホイの視点に立つならば、西洋の技術を首尾よく輸入する中国がどうして「普遍主義」から逃れることができるだろうか。新反動主義者が夢見る中国のヴィジョンは、啓蒙の終わりでも〈外部〉でもなく、啓蒙の異なる形式の一つであり、また時間軸の同期化《シンクロナイズ》＝近代化の一つの極点を指し示しているのだ(4)。

　たとえば、ニック・ランドによる、左右から成る人種政治を、生物工学によってアウフヘーベンせんとする超―人種主義の試みは、本人の思惑とは裏腹にあまりにヘーゲル主義的と言わなければならないだろう(5)。中華未来主義も、所詮は大聖堂《カテドラル》の内部で醸成されたオリエンタリズムの一変種に過ぎない。トランス・ヒューマニストらが志向する、ヒトのホモ・デウスへのアップデートの試みは、近代技術への抵抗でも人間主義＝ヒューマニズムからの解放でもなく、反対に近代技術のニヒリスティックな極限化と過激なヒューマニズムの露呈を示している。

　だが他方で、新反動主義者たちの夢想をよそに、中国政府が推し進めているビッグデータ・アルゴリズムやアーキテクチャによる人民の統治は、自律的で自由な近代的人格を前提としていないという意味で、トランス・ヒューマン的な人間の超克ではなく、むしろポスト・ヒューマン的な人間の消失を示唆している。アルゴリズムは主体の欲望を常に先回りすることで選択にまつわる意思決定のプロセスを人間から排除し、アーキテクチャによる規制は主体から行動の自由を事前に封じることで効率的な統治を可能にする。自由と幸福はトレードオフの関係にあるとする統治功利主義的な認識は、デカルト主義的な人間の全き消失を促す。中国の未来が、新反動主義者らがイメージする啓蒙の

〈外部〉ではなく、むしろ〈外部〉のさらなる〈外部〉としての深淵へと向けられているのだとしたら？

我々は、新反動主義者らが奉ずるウルトラ＝エンライトメント（極―啓蒙主義）としてのトランス・ヒューマニズムではなく、むしろ中国が促進するカウンター＝エンライトメント（反―啓蒙主義）としてのポスト・ヒューマニズムの時代に直面しつつあるのかもしれない。ニック・ランドらが夢想する生物工学による超人的なトランス・ヒューマンの誕生も、あるいは超知性的かつ暴君的な人工知能による人類支配といった劇的なＳＦ的スペクタクルもなく、代わりにどこまでも合理的かつ功利主義的な統治のもとで人間は音もなく消滅してゆくだろう。

【参考文献】

（1）https://www.afpbb.com/articles/-/3246745

（2）https://www.e-flux.com/journal/81/125815/on-the-unhappyconsciousness-of-neoreactionaries/

（3）「啓蒙の終わりの後に、何が始まろうとするのか?」ユク・ホイ、河南瑠莉訳（『現代思想』二〇一九年六月号「特集＝加速主義」所収）。

（4）同上。

（5）https://www.thedarkenlightenment.com/the-dark-enlightenment-bynick-land/

「機械化」のネクロフィリア

「未来主義」とその周辺

浜崎洋介

改革開放以降、中国は、その爆発的な成長によって世界の覇権国となり、「デジタル権威主義」による統治を加速しつつある。では、その現実を前に唱えられている「中華未来主義」とは何なのか。「未来主義」の歴史を省みつつ、その思想と行動について考える。

I　「西洋の死」と「中華未来主義」
――脱現実のルサンチマン

ダグラス・マレーの『西洋の自死』が綿密に描いて見せたように、その宗教的基盤を無視して加速された「啓蒙」（グローバリズム）は、確かにヨーロッパ世界に「死」を齎《もたら》しつつあるかのように見える。

過去の帝国主義的植民地支配やホロコーストの事実に「歴史的罪悪感」を感じ続けてきたリベラルは、そこから「普遍的人権」や「寛容」や「多様性」を国民国家の枠組みを超えて無際限に拡大することに自らのアイデンティティを見出していった。が、それによって、新自由主義と移民の暴走を許し、「家と呼ぶべき世界で唯一の場所」を失ってしまった西洋人は、逆に自らのアイデンティティを掘り崩され、「実存的ニヒリズム」に陥ってしまったのである――この「ニヒリズム」の実態について確かめたければ、ミシェル・ウエルベックの小説『服従』や『セロトニン』などを読むことをお勧めする――。マレーは言うだろう、「我々はカントが論じた鳩よろしく、空気のない場所に住めば風に悩まされずにもっと速く飛べるのではないかと考えた。現実にはその風があるから飛べるというのにだ」と。

しかし、だとしたら、私たちは、私たちの飛翔を支えている「空気」や「風」について、つまり、国家及び共同体など、私たちの「自由」を支えているその「自由の条件」について改めて考えるべきではないのか……と問うべきところで、しかし、そうは考えない観念主義者たちの一群が登場してくる。「新反動主義」、「加速主義」、「暗黒啓蒙」と呼ばれる思想を担う一群の人々――ピーター・ティール、ニック・ランド、カーティス・ヤーヴィンなど――である[1]。

「人権」や「寛容」や「多様性」の概念が私たちの「自由」を窒息させているのだとすれば、そんなものは捨ててしまうに如くはない。彼らは、「自由と民主主義が両立可能だとはもはや信じていない」（ピーター・ティール）のであり、そうである以上、「民主主義」と、それにまつわる幾多の手続き――国民国家の維持、同胞への再分配、弱者との共存、他者との議論――は、彼らにとっては無視してしかるべき〈要らぬ足枷《あしかせ》〉でしかない。民主主義的な建前に足を引っ張られた国家が、資本主義の力を十分に引き出せず、技術革新や生産性を「加速」できないのであれば、むしろ、国民国家などは見捨てられてしかるべきであり、代わりに、全権委任された一人の企業ＣＥＯのごとき君主――ニーチェの言う〈超人＝ＡＩ的頭脳〉――によって徹底的に効率化＝合理化された国家こそが選ばれるべきなのである。

かくして、九〇年代末、新反動主義者たちの目の前に現れてきたのが、人権も民主主義も国民をも超えたところで巨大に膨張し続ける〈夢の加速主義国家＝中国〉であった（実際、一九九八年、ニック・ランドは大学を退職するのと同時に上海に移住している）。「啓蒙」の理念の一切に縛られず、国民ならぬ人民を環境管理のテクノロジー＝アーキテクチュアに放り込み、ただひたすらに経済的自由（功利）と効率（合理）とを求めて爆走する中国を見て、彼らは呟くのである、「新中国は未来から到来する」（ニック・ランド）と。

すでに、新反動主義者たちが語る「中華未来主義」の含意は明らかだろう。それは、可能性を失い、将来に行き詰まり、疲弊した西洋のインテリたちがかろうじて夢見ようとした「未来」への逃走線であり、また二十一世紀の「オリエンタリズム」なのである。要するに、彼らの〈脱政治＝脱民主主義〉への志向自体が、近代に反復されてきたロマン主義的な「脱現実運動」（Exit）の一つであり、それ以上に、根を失い、自己を失い、他者を失った〈余計者＝モッブ〉たちによる「現実否定」の欲望、ルサンチマンの表現だということである。

Ⅱ　イタリア未来派とファシズム——〈速度と機械の美〉のゆくえ

実際、この脱政治化したテクノユートピアへの意志は、ほとんど近代の宿痾と言ってもいいほどに繰り返されてきたニヒリズム運動の一つだと言っていい。

科学技術のユートピア＝ニュー・アトランティスを描いたフランシス・ベーコンの夢、高級テクノクラートによる産業支配を語ったサン・シモンの夢（ちなみに、パリ万博はサン・シモン主義的ユートピアの到来を加速させるための起爆装置として計画されていた）、あるいは、十九世紀末のアメリカに始まるフォード主義（生産力向上）とテーラー主義（労務管理）を加速させた先で、ヘンリー・ガントが提唱した政治組織「ニュー・マシーン」の夢（ドイツをモデルに、エリート技術者の独裁による社会の工場化＝効率化を謳った一種の設計主義）、そして、そのテーラーとフォードを賛美しながら、「自動車のような住宅」、「住宅は住む機械である」と宣言したル・コルビュジエの機能主義建築の夢まで、テクノロジーの夢は、「進歩」を価値としてきた近代の歴史と同じくらいに古いものだと言える（ちなみに、コルビュジエは、後述する未来派と同じく、ムッソリーニのファシズム政権に接近を試み、イタリア植民地エチオピアの都市計画に参画しようとしていた）。

そのなかで、テクノユートピアへの夢を脱民主主義の欲望に接続し、それを「美学」にまで高めようとしたアヴァンギャルド芸術運動が登場してくる。イタリア未来派である。

一九〇九年二月二十日、イタリアの詩人のマリネッティ（一八七六～一九四四）は、フランスの新聞『ル・フィガロ』に、「未来派宣言」を発表することになる。そこにはグループ創設に関するエピソードの紹介と、〈速度と機械の美〉を謳う全十一項の宣言文が記されていたが、なかでも、「未来主義」を特徴づけるのは、第四項と第八項の宣言文だろう。

「四、われわれは、世界は新たな美によってさらに輝きを増したと宣言する。その美とはスピードの美だ。激しく息をするヘビのような太い管で飾られたレーシングカー……うなりをあげて榴散弾のように走る自動車は、「サモトラケのニケ」よりも美しい。八、われわれは世紀の突端の岬に立っている！……なぜうしろを振り返らなければならないのか。われわれは不可能という神秘の扉を破らなければならないときだというのに。時間と空間は昨日死んだ。われわれはすでに絶対のなかに生きている。スピード、永遠、不滅のものを生み出しているのだ。」エーリッヒ・フロム『悪について』（ちくま学芸文庫）に掲載されている「未来派宣言」（渡会圭子訳）からの引用(2)

この「未来派宣言」の背後には、「超人」を語ったニーチェや、「エラン・ヴィタル」（生の跳躍）を論じたベルグソン、あるいは、サンディカリスム的「暴力」を肯定したソレルなどからの影響があると言われる。が、いずれにせよ、ここで注意すべきなのは、マリネッティが、「スピード」によって〈サモトラケのニケ＝古典古代＝遅れたイタリア〉の否定を語りながら、それを〈機械＝自動車〉のイメージで語っている点である。つまり、過去という名の重力を脱する進歩の「スピード」を一つの技術によってその限界まで加速させ、この「世紀の突端の岬」（シンギュラリティ＝技術的特異点？）で、われわれの〈外部＝未来〉の到来を寿《ことほ》ぐこと。それは、もはや、ある目的のための速さだというよりは、それ自体として追求されるべき絶対の「スピード」であり、過去のあらゆる基準からの離脱でもあった。

事実、一八九九年に初めて時速一〇〇キロの壁を越えた自動車＝機械は、その後も「輸送」という目的を忘れたかのように、ただひたすらに「加速」していった。一八九四年、平均時速が二一キロでしかなかったラリーレースは、その七年後の一九〇一年には、時速七四キロに達し、そのたった二年後の一九〇三年には、一〇五キロの平均時速を実現することになる。そして、一九〇九年、マリネッティが未来派宣言を出したのと同じ年、速度レースにおいてフランスのエムリーは、時速二〇二・六三一キロを記録することになるだろう。要するに、「アヴァンギャルドの時代である一九一〇〜二〇年代は、スピード狂の時代なのである。

　ただし、この〈速度と機械〉に対する憧憬の背後には、二十世紀西洋における「経験の貧困」（ベンヤミン）という焦燥があったことは無視すべきではあるまい。ベンヤミンの言葉を借りれば、都市化し、機械化していく二十世紀文明のなかで、たとえば暖炉の傍らで、息子や孫たちに語り継がれてきた「権威」「金言」「物語」、つまり、「たえず繰り返し年上の世代が年下の世代に教え継いできたもの」、「指輪のように世代から世代へと受け継がれてゆくほど確かな言葉」が、ほぼ「経験」の意味をなさなくなってしまうのだ（「経験の貧困」一九三三年、浅井健二郎訳）。

　そこから、ベンヤミンは、あえて伝統的な「アウラ」を振り切ってでも、「複製技術時代の芸術」――つまり、写真や映画＝器械装置を使った断片のモンタージュによる大衆的無意識への働きかけ――を肯定する身振りを示すことになるのだが、そのベンヤミンが「政治の美学化」だとして批判したマリネッティの「未来主義」もまた、二十世紀における〈過去の没落＝経験の貧困〉を前提にしていたことに変わりはない。

　かくして、十九世紀的な「個室」で営まれる静かで「孤独」な瞑想は打ち破られ、二十世紀的な「街路」に響き渡る都会の喧騒（ノイズ！）のなか、他人とは違う自分を意識せざるを得ない〈大衆＝群衆〉たちの「孤立」が現れてくることになる（ちなみに、ノイズ音楽というジャンルは未来派のルイジ・ルッソロに始まる）。

　かつて、アーレントは、前者の〈個室の孤独〉を「ソリチュード」（Solitude）と呼び、後者の〈街路の孤立〉を「ロンリネス」（Loneliness）と呼びながら、第一次世界大戦を契機にして、ソリチュードがロンリネスに飲み込まれていく大衆現象のなかに「全体主義」の生成過程を描いて見せたが（『全体主義の起源』）、マリネッティに言わせれば、その大衆の「孤立」感こそが、人々の「機械化」を加速させていくための前提条件でもあった。


「文学における「私」を破壊せよ。すなわちあらゆる心理―学を破壊せよ。図書館と美術館によって徹底的に傷めつけられ、おそるべき論理と知性に従属させられた人間など、もはやまったく何の価値もない。だから、それを廃止し、物質で置き換えるのだ。」

「未来派の詩人たちよ！　私が図書館や美術館を憎むように教えたのは、諸君に知性を憎悪する覚悟をうながすためだった。〔…〕動物の統治のあとは機械の統治が始まる。〔…〕われわれは部品交換可能な機械人間の創造を準備している。われわれは人間を死の観念から解放するのだ。」「未来派文学の技術的宣言」一九一二年五月、塚原史訳(4)

このテクノロジーの制覇に向けた欲望が、そのまま、イタリア未来派をファシズム運動へと接近させたであろうことは想像に難くない。もはや静かに読書し、反省する「人間」などは何の価値もなく、そうである以上、「論理と知性」による議論（民主主義）ではなく、「機械」による「統治」こそが求められるべきなのだ。事実、すでに断片化された人々は交換可能な「物質」のように扱われているではないか。だとすれば、人間の機械化を加速し、それによって「労働、快楽、反逆に熱狂している群衆」（未来派宣言）を束ねるに如くはない。そこに現れるものこそ、超人としての「機械人間」であり、また、機械的「全体主義」なのであった。

事実、世界初の〈総力戦＝機械戦〉である第一次世界大戦が終わって間もない一九一九年三月二十三日、「未来主義的都市」であるミラノにおいて（ちなみに、「過去主義的都市」はヴェネチアである）、ムッソリーニを指導者としたファシスト組織「戦闘ファッショ」の結成集会が開かれることになるが、その中央委員に選ばれることになったのは、ほかでもない、マリネッティを中心としたイタリア未来派のメンバーだったのである。以後、一九二二年の「ローマ進軍」（ムッソリーニによる政権獲得のためのクーデター）から、一九四三年のムッソリーニ失脚に至るまでの約二十年間、イタリア未来派は、運動としての革新性や賛同者を失いながらも、なおファシズム政権における「公認芸術」の地位を維持し続けることになるのだった。

ムッソリーニ政権誕生の二年後、マリネッティは書くことになる、「ファシズムは未来派から生まれ、未来派の諸原理によって育まれてきた」（「未来派とファシズム」）のだと。

Ⅲ 「デジタル権威主義」への抵抗
――そのネクロフィリアを超えて

今、中国では、人々の「功利主義」に訴えるかたちで、デジタル・テクノロジーによる環境管理のアーキテクチュア（ハイパー・パノプティコン）が「加速」されているという。

梶谷懐・高口康太『幸福な監視国家・中国』（NHK出版新書）によれば、そのテクノロジーは、中国全土に二億人いると言われる〈非熟練労働者＝無業の遊民〉に仕事を用意し（ギグエコノミー）、個人情報を道徳信用スコアに紐づけたビッグデータによって人々に賞罰を与え、さらに、その言動の全てを、全国約一億七〇〇〇万代台の監視カメラと（二〇一九年に二億台を突破したと言われる）、ネットの自動検閲システムと、中国共産主義青年団一〇〇〇万人のネットボランティア及びＩＴ企業の協力によって、徹底管理しているという。

それは確かに、中国の改革開放を「加速」させ、その市場主義経済を「効率化」していると言えるのかもしれない。が、それを可能にしているのが〈テクノロジー＝道具〉である限り、それは使いかた次第で、容易に「中華暗黒主義」の道具にも変容し得ることは忘れてはなるまい。

事実、新疆ウイグル自治区の人々は、彼らの意志とは無関係に――中国共産党は「民生の向上」を言い訳にしているが――、その家族・友人関係、銀行口座、渡航歴などの個人情報はもとより、ＤＮＡや虹彩のデータ、話し声や歩き方などの生体情報まで管理され、その巨大な〈デジタル権威主義＝機械じかけの独裁〉のなかへと飲み込まれつつあると言う。

では、そのテクノロジーの「使いかた」は誰が決めるのか。おそらく、その問いかけのなかにこそ、単なる功利主義的アルゴリズム（目的合理的な技術知）には還元できない人間の「思考」（知・情・意を総合した実践知）の契機が生み出されることになる。ということは逆に、デジタル功利主義の「加速」とは、すなわち、「思考」を伴った他者との〈付き合い＝議論〉からの逃走であり、また、その限りで「政治」からの逃走であり、さらに、そんな「思考」を生み出すことのできる人間の「生」に対する憎しみの発露だと言うべきだろう。

かつて、『自由からの逃走』のなかで、ファシズムの心理学的な起源を描いて見せたエーリッヒ・フロムは、また、マリネッティの「未来派宣言」に絡めて、次のように書いていた。

「簡潔に言えば、合理化、数量化、抽象化、官僚化、物象化といった、近代産業社会の特質を、モノではなく人に当てはめてみると、生ではなく機械の原理となる。〔中略〕このようなネクロフィリア的な傾向は、個々の政治的な構造とは関係なく、現代のどの産業社会にも存在する。この点で、ソヴィエトの国家資本主義と法人資本主義のどちらにも共通するものは、その制度上の相違よりも重要である。共通しているのは、官僚主義的、機械的なアプローチであり、どちらも全面的破壊を招き寄せている。生を蔑《ないがし》ろにするネクロフィリア的な性質と、スピードをはじめ機械的なものすべてを賞賛することの類似性が明らかになったのは、ここ数十年のことである。」『悪について』渡会圭子訳

フロムが言う「ネクロフィリア」とは、生成し、持続し、分割できないものとしてある「生」を、静止させ、固定し、分割できる「死物」として扱い、さらに、それを機械のように操作したいという欲望のことである。それは、見透しの効かない「生」に対する恐怖のなかで、ときに孤立した人間が憑《と》りつかれる「権力への意志」（ニーチェ）であり、その意志によって、「自分に合うように世界を変形させ」ようとするナルシスティックな支配欲のことである。

が、フロムを引くまでもなく、常に〈無限＝自然〉に接している「生」を計算に還元することはできない。しかし、それなら私たちが、私たちの「生」において真に見出すべきなのは、未知の未来から到来する技術的特異点（シンギュラリティ）などという孤独な迷《めい》妄《もう》などではなくて、むしろ、技術的管理の外においてこそ甦る、私たちの「共通感覚」の方ではないのか。どんなに「経験」が貧困化しても、なお、その断片を寄せ集めながら想起される私たちの歩き方、その見透しの効かない己の人生に、その行き先を指し示す〈自然―過去―他者〉からの呼び声ではないのか。

少なくとも、管理されたブロイラーの群れに「生き方」を問うことはナンセンスだが、掛け替えのない他者を「愛する」ことに充実を見出そうとする人間にお

いて、自らの〈生き方―エートス―住み慣れた場所〉を問う努力は、それこそ自分自身の本来的欲望、自分自身の真の〈自由＝能動性〉を考える上で必要不可欠な営みだと言える。

【参考文献】

（1）以下、「新反動主義」「暗黒啓蒙」「加速主義」の思想と、「中華未来主義」との関係については、木澤佐登志『ニック・ランドと新反動主義――現代世界を覆う〈ダーク〉な思想』（星海社新書）、「現代思想43のキーワード」（『現代思想』二〇一九年五月臨時増刊号総特集）、「加速主義――資本主義の疾走、未来への〈脱出〉」（『現代思想』二〇一九年六月号特集）、および、水嶋一憲「中国の『爆速成長』に憧れる〈中華未来主義〉という奇怪な思想」(https://gendai.ismedia.jp/articles/-/60262) などを参照。

（2）「未来派宣言」については、既に幾つかの日本語訳があるが、なかでも渡会圭子訳が日本語として自然だったので、ここではフロムの『悪について』掲載の宣言文を引いた。

（3）塚原史『言葉のアヴァンギャルド――ダダと未来派の二〇世紀』（講談社現代新書）参照。また「未来派」と「全体主義」との関係については、塚原史『20世紀思想を読み解く――人間はなぜ非人間的になれるのか』（ちくま学芸文庫）や『ダダ・シュルレアリスムの時代』（同前）を参照しつつ、そのほかに田之倉稔『イタリアのアヴァン・ギャルド――未来派からピランデルロへ』（白水社）や『ファシズムと文化』（山川出版社）、また「未来派―モダニズムの総決算」（『ユリイカ』一九八五年十二月号特集）などを適宜参考にした。

（4）塚原史『20世紀思想を読み解く――人間はなぜ非人間的になれるのか』（前掲）より。

中央アジアに見る中華「現在」主義

宇山智彦

中華未来主義の思想とは裏腹に、今の都合のみを考えて中国と向き合う現在主義が世界に広がる。中央アジアの状況からその病根を探る。

中央アジアにとっての中国の魅力

世界の諸地域の人々は、中国ないし中国的なものと自分たちの未来をどう結びつけて考えているのだろうか。ここでは、中国の西隣に位置する中央アジアを例に考えてみたい。

中央アジア五か国における中国の存在感は、今世紀に入って急激に高まっている。特に経済関係の発展がめざましく、貿易ではロシア、投資では欧米、援助では日本・欧米がかつて持っていたシェアに急速に食い込み、国や分野によっては第一位の相手国になっている。外交面でも、トルクメニスタンを除く四か国は中ロと共に上海協力機構を設立し、首脳レベルでの中国とのつきあいを深めてきた。対テロ対策での協力や、近年は合同演習などの軍事協力も進んでいる。単に中央アジアの小国群にとって中国の存在が大きいというだけでなく、中国側も不安要因の多い新疆ウイグル自治区の隣接地域として、また「一帯一路」イニシアティヴの重点地域として中央アジアを重視している。

中央アジア諸国は、中国のどこに魅力を感じているのだろうか。一つは言うまでもなく経済力であり、そして経済案件を決定・実行するスピードである。道路や鉄道をはじめとするインフラ建設・修理や資源開発を、中国企業は広く手がけている。高利の融資、資源獲得を交換条件とした建設事業など、中央アジア側にとって不利な面のある案件も少なくなく、過度な対中依存を見直す動きはしばしば現れている。それでも中国ほど迅速かつ大規模に協力してくれる国は他にないし、欧米系の国際機関は公共料金の値上げなどさらに不利な条件を付けてくる場合があるから中国に頼らざるを得ないというのが本音である。

中央アジア諸国の政権にとってのもう一つの魅力は、中国の「内政不干渉」方針である。中国は、ウイグル人独立運動の取り締まりに協力すること、台湾と公的に交流しないことなど、自身の「核心的利益」と見なす問題について中央アジア諸国に圧力をかけたり、後述の反中運動を批判したりする場合はあっても、欧米のように、中央アジア諸国の民主化・人権状況など内政問題を批判することはない。欧米の研究者の中には、中国の権威主義的な政治が周辺諸国に影響を及ぼしていると見る者もいるが、少なくとも中国が共産党の政治システムを積極的に売り込んでいるわけではなく、むしろ中央アジア諸国の為政者側が、中国の権威主義体制の下での経済発展を見て、自分たちも欧米による民主化要求を受け入れる必要はない、今のままでよいのだと安心している面が強い。

宇山智彦（うやま・ともひこ）

67年東京生まれ。96年、東京大学大学院総合文化研究科博士課程中退。在カザフスタン日本大使館専門調査員などを経て、現在、北海道大学スラブ・ユーラシア研究センター教授。最近の編著書に『現代中央アジア:政治・経済・社会』(日本評論社、2018年)、『ロシア革命とソ連の世紀5 越境する革命と民族』(岩波書店、2017年)、『ユーラシア近代帝国と現代世界』(ミネルヴァ書房、2016年)など。

反中感情と文化的違和感

他方、一般国民の中国観は複雑である。ユーラシア開発銀行が二〇一七年にカザフスタン、クルグズスタン（キルギス）、タジキスタンでそれぞれ千人余りを対象に行った調査によれば、中国を友好国として挙げた回答者は一〇％（クルグズスタン）から二〇％（タジキスタン）で、ロシアを挙げたのが七八～八七％だったのと比べると低い。ただし脅威を与える非友好国として中国を挙げたのも二％（タジキスタン）から一五％（カザフスタン）にとどまり、アメリカより低い。

もっともこれはあくまでも中国に対する平均的な態度を表す数字であり、一部には強硬に反中国的な態度を表明する人々も目立つ。カザフスタンでは、中国人が大挙してやってきて土地を奪うのではないかという懸念が強く、二〇一六年五月には、法律改正によって土地が中国人に売られるという誤った噂をきっかけに全国の都市で抗議集会が開かれ、法改正は凍結された。その後も、中国の経済進出がカザフスタンでの汚職と結びついているという疑いや、新疆でカザフ人を含むムスリムが弾圧されていることへの反発に基づく反中デモが繰り返し起きている。クルグズスタンでは、中国企業と進出先の地元住民が環境問題や労働条件をめぐって対立することが多い。二〇二〇年始めには、中国との合弁企業が建設する予定だった大規模な物流センターのために使われる土地が永久に中国に引き渡されるという噂が流れ、激しい抗議行動によって同年二月に事業中止に追い込まれた。

こうした反中感情は、文化的な違和感・距離感に裏打ちされている。中央アジアは現在の中国と隣接しているとはいえ、直接隣り合う新疆に中国の統治が及んでいた時期が歴史的にはそう長くないということもあって、中華文明・漢字文化への親しみは日本や韓国の場合と比べてはるかに弱い。十八世紀に遊牧帝国ジュンガルを制圧した清朝軍が余勢を駆ってカザフスタン方面に攻めてきたことや、カザフスタンとクルグズスタンが中ソ対立の前線地域となったことなど、短期的なものではあるが対立の記憶もある。中央アジアの多数派であるテュルク系諸民族の文化は、漢文化と決して相容れないと言う人々もいる。新疆での弾圧政策は、対象がウイグル人に限られている間は中央アジア諸国でさほど大きな関心を呼ばなかったが、新疆のカザフ人、クルグズ人などにも抑圧が及び、イスラーム信仰への規制も強まるにつれ、反感が増している。中国側はソフトパワーの重要性を意識し、孔子学院などを通じて中国文化の知識の普及に努めているし、中央アジアの若者にとっても中国は欧米やロシアに次ぐ人気の留学先になってはいる。しかし、中国語の知識や留学経験が就職や仕事に有利であるために一部の人々の関心を呼んではいても、文化的な親しみが全体的に増しているとは言い難い。

現状に対する恩恵・脅威としての中国

以上のような中央アジアの状況から、一般論としてどのようなことが言えるだろうか。中国は、欧米や日本からは国際秩序の「現状変更勢力」と見られることが多いが、非民主的な国、人権状況に問題を抱える国にとっては、欧米による内政変更の試みを無力化させてくれる「現状維持勢力」である。そしてまた、インフラ未整備や資金不足といった発展途上国の課題の解決に手を貸してくれる国である。しかし同時に、中国の経済進出の副作用、人口圧力を背景とした領土拡張の可能性、文化的な違和感といった、半ば想像上の問題を含む脅威が反発を呼んでいる。筆者の知る限り、中央アジアに限らず多くの発展途上国にとって、中国は自分たちの現状を変えない、あるいは現在の自分たちに必要なものを提供してくれればありがたく、現状に脅威を与えるのであれば否定的に見られるという、何よりも現状に対する役割が問われる存在である。「中華未来主義」をもじれば、「中華現在主義」と呼べるかもしれない。

もちろん、中国こそが未来の世界のリーダーだと信じる人や、上海などに未来都市のイメージを感じる人は、中央アジアにも少なくない。中国の先端技術は、監視カメラによる治安対策などに実際に影響を与えつつもある。しかし中国自身が普遍的・体系的な発展モデルを国際社会に提示しているわけではないということもあって、中国をモデルとした自国の未来を具体的に語る人はほとんどいない。

かつて西洋諸国が世界の中心となって影響力を広げた時には、西洋の法律、政治制度、経済システム、外交ルール、言論、文化・芸術などすべてが、世界の諸民族の模倣や批判的学習の対象であった。西洋諸国のような国を造ること、西洋を中心とする階層構造の中で西洋諸国にできる限り追いつき、場合によっては追い越すことが、諸民族・諸国民の未来の目標となった。今、中国は少なからぬ面で西洋に追いつき追い越しつつある。しかしそれは既存の秩序の中での順位を上げたということであり、全く新しい秩序を作っているわけではない。中国の技術の先端性は、欧米で基礎が作られた技術を独自に工夫して発展させたかつての日本のやり方と、根本的に異なるわけではない。中国の政治・経済システムは、中国的な特徴を多く含むとはいえ、西欧生まれの思想をもとにロシアで形成された共産党体制と、欧米の資本主義を土台としている。中国文化の普及がいかに難しいかは、中央アジアの例が示している通りである。西洋が世界の中心でなくなるとしても、従来の西洋と同じ意味での中心として中国が取って代わるというシナリオは現実的に考えにくい。

模範と未来像を失った現在主義の病理

「中華未来主義」は、西洋的な自意識にとらわれた思想であるように筆者には思える。西洋近代文明が爛熟しすぎて没落し、何か新しい文明が出現する、あるいは外部からの刺激や侵略を転機に西洋文明・キリスト教文明が再生するという考え方は、西洋思想の中で繰り返し現れてきたものだからである。「中華未来主義」が語る「中国」は論者の都合に合わせて作られた像であり、この思想自体、中国や世界全体よりも西洋に究極的な関心を向ける知的遊戯であるとすれば、非西洋人がそれに踊らされる必要はないだろう。

他方、歴史的に中華文明を深く取り入れてきた日本人には、日本が近代化によって得た東アジアの中心という地位が失われ、華夷秩序的なものが復活する予感ないし不安があるという意味で、中国中心の未来を想像しやすい感覚があるかもしれない。しかしそのような感覚は、決して世界的に共有されているものではないということを知っておいた方がよいであろう。世界の中で中国が肯定的であれ否定的であれ重要性を持つのは、何よりも「現在」の存在としてである。

空虚な思想である「中華未来主義」があたかも現実感を持ってわれわれの不安を掻き立てるとすれば、それは二つの深刻な問題を想起させるからだと思われる。一つは、実際に中国が未来国家的なイメージを投射しうるのは、中国の権威主義が進化し、経済発展や社会の規律化をある程度効率的に実現することができているからだけでなく、欧米がモデルとしての魅力を失ってきているからだということである。アメリカが自国を中心とする一極世界の成立という幻想に溺れていた二十一世紀初めから既に、人道を名目とした欧米による世界各地への武力介入や、現地の事情を考慮しない画一的な民主化要求は、中央アジアを含む多くの地域で偽善・独善として反発を買っていた。そして、これを真剣に反省して世界との向き合い方を考え直す間もないまま、欧米諸国に内向きの自国第一主義が蔓延し、国内政治も混乱して、自由民主主義の信用を失わせた。とはいえ、中国の特殊な共産党体制・国家資本主義が普遍的なモデルになると本気で信じる人も少ない。このまま行けばわれわれが直面するのは、中国が欧米に取って代わって模範となる世界ではなく、模範が不在となる世界である。

もう一つは、確固たる未来像を持たないまま現在の都合を優先する態度が、先進国・途上国を問わず広く見られることである。子孫のためにどういう社会を造っていきたいのかという展望を持たないまま、現在の経済成長を維持するために借金を重ねて次世代に付けを残し、地球温暖化が近未来に与える悪影響は目に見えているにもかかわらず、現在の産業を優先して本格的な対策を怠っている。従来型の欧米民主主義を画一的に適用することが必ずしもよいわけではないにせよ、為政者の恣意に左右され人権を守らない統治体制を未来に残してよいのかとなると、人々の思考は停止する。変化を無謀に加速させて突破口を見出そうとする「未来主義」は現在主義以上に有害であるとしても、未来を考えない現在主義へのいらだちを表していると考えることはできよう。観念上の「中華未来主義」と裏腹に広がっている「中華現在主義」は、世界の病理としての現在主義の一部なのである。

共産党支配をめぐる思想闘争

現代中国における「新権威主義」体制から「新全体主義」体制への移行

石井知章

習近平政権は二〇一二年の第十八回党大会を契機に、党＝国家と「紅色帝国」勃興に向けて突き進み始めた。中国の政治思潮はいかなる変遷を辿ったのか。

はじめに

一九四九年以降の政治過程では、第一段階（一九四九～一九七六年）が毛沢東の全体主義とユートピアを構想した社会改造期であり、最終的にこの構想は完全に破綻した。その後、短い過渡期（一九七六～一九七八年）を経て中国は第二段階、すなわち鄧小平が執政した時期とポスト鄧小平の権威主義・新権威主義段階（一九七八～二〇一二年）に突入する。この時期は天安門事件の前（権威主義）と後（新権威主義）の二つに分けられ、中国はこの間に重大な変化を経験した。八〇年代の「改革の十年」は一度ならず体制内に風穴をあけることが期待されたが、結果的にその機会は長老政治に圧殺され、天安門事件（一九八九年）という武力弾圧によって正当性の危機に陥った。党＝国家指導者は、政治の民主化を拒否しながら市場化の改革を鼓舞し続け、期せずしてその後、三十年間にわたる高度経済成長を実現し、中国共産党の独裁による現代の専制主義は第三の段階に入るための条件を創出していったのである。張博樹（コロンビア大学客員教授、一九五五～）は、この段階を習近平の「新全体主義」と呼んでいるが、それは二〇一二年の中国共産党第十八回党大会を契機に始動し、権力を再び集中させる手段として党＝国家と「紅色帝国」の勃興を目標に、市民社会の構想とは逆方向に突き進んでいった。ここでは主に、ポスト鄧小平体制から習近平体制に至る政治過程を、「新権威主義」体制から「新全体主義」体制への移行プロセスと位置づけ、その政治思潮の変遷について概観する。

一　新権威主義の起源

「権威主義」は一九八〇年代半ば以降、今日の中国になおも影響力を有する政治思潮である。一般的にいえば、とりわけ天安門事件以降、「新権威主義」の提唱者は中国の民主化に賛成してはいるものの、「経済の市場化」を「政治の民主化」に先行させるべきだと考えている。改革はたとえ段階的、暫定的な党指導者による独裁であっても、強力な権威のもとで進める必要があると強く主張してきた。新権威主義者は改革派であるリベラリストとは異なり、中国の現実的政治環境のなかでより柔軟な改革をたたえ、みずからが考える穏健な主張で執政当局に影響を与えたいと望んでいるのである。だが、それと同時に、理想を堅持しながら体制に迎合して統治者の戦略に如何に影響を与えていくかで左右に揺れている。

張博樹によれば、「新権威主義」は「全体主義」体制の現実に真正面から向き合うことをしないか、少なくともそれらを告発する勇気がないので、彼らの立場は徹底していない。新権威主義に賛成する者は、それが中国の現実に適した主張だと考え、逆にそれに対して批判的な者は、政権に媚《こび》を売っているか、政治的投機行為ではないかと疑っている。習近平が新たな独裁体制を構築するなかで、何人かの代表的新権威主義者は、これまでの主張を修正し、当局者に忠誠を誓う素振りさえ見せている。

一九八〇年代後期、中国の経済体制改革が進むなか

石井知章（いしい・ともあき）

60年生まれ。早稲田大学大学院政治学研究科博士課程修了。政治学博士。（社）共同通信社記者、ILO（国際労働機関）職員を経て、現在、明治大学商学部教授、早稲田大学大学院政治学研究科兼任講師。コロンビア大学客員研究員（17～18年）、スタンフォード大学客員研究員（07～08年）。著書に『中国社会主義国家と労働組合 中国型協商体制の形成過程』『現代中国政治と労働社会　労働者集団と民主化のゆくえ』（日本労働ペンクラブ賞受賞）、編著に『現代中国のリベラリズム思潮』『現代中国と市民社会』など。

で政治体制改革もその突破口に差し掛かっていたが、この「経済改革」と「政治改革」の関係性について積極的に論じてきたのが、代表的「新権威主義」の一人である呉稼祥（一九五五〜）である。彼は、かつてサミュエル・ハンチントンの影響を強く受けつつ、社会発展の「三段階論」を提起していた。それは転換途上にある国家がまず「伝統的専制主義」から「新権威主義保護下の自由発展段階」に至り、その後に「自由と民主を合わせ持った段階」に到達するというものである。民主と自由の「結婚」に先立ち、一定期間にわたって専制と自由の「恋愛期間」があり、民主が自由の「生涯の伴侶」になるためには、専制が自由の「恋人」として付き合っていくという、過渡的転換期が中国にも必要なのだと主張した。

「新権威主義」が強調するのは「政体」ではなく「指導者」であり、その人物をきわ立たせるだけでなく、それと黙契する政策集団をも重用し、英明な先見、果断な行動、障壁を乗り越える力量、卓越した対応力といったものを重視した。これに対して、リベラル派の重鎮である栄剣（一九五七〜）は、「政治の民主化は客観的に〈ハード〉な政府、すなわち効率的で清廉潔白、法治を実行する政府を必要とするが、この〈ハード〉とは伝統的で高度に集権化された行政制御システムのことではなく、また〈新権威主義〉が考える独裁政権でもない。それは政治の民主化から生まれる政府のことである」と主張している（栄剣「〈新権威主義〉在中国是否可行?」『世界経済導報』一九八九年一月十六日）。当時、多くの知識人たちは、中国の改革が困難に陥ったのは、政治体制の改革があとまわしにされ、「人治」が「法治」の上に置かれたからで、重要なのは指導者が主導する社会を法に基づく社会に転換すること、すなわち「人治社会」から「法治社会」への転換であると見ていた。

栄剣はこうした状況のなかで、民間と学術界が一致して、いまこそ政治体制改革の歩みを加速するときであり、呉稼祥らが主張した新権威主義で改革を推進するという方法は、圧倒的多数の知識人の支持を得られなかったとしている（同「新権威主義再批判」『財経網』二〇一三年十二月三十一日）。

二　鄧小平と新権威主義

呉稼祥は「新権威主義から憲政民主へ」と題する一

文で、八〇年代の鄧小平も新権威主義に賛成だったと指摘している（『走向憲政』法律出版、二〇一一年）。中国の経済改革は、一九八六年から新権威主義の主導で実質的に経済と政治の総合改革に転じていった。鄧は一九八九年三月六日、みずからが提唱する改革の意義を総合的に検証し、それに名前をつける機会に恵まれた。中共中央の主な指導者は、思想界に流行する「新権威主義」思潮について報告したが、それについて鄧小平は、「私の考えがまさにそれだ」と語っている。

ところが、鄧小平が賛成したのは「市場化第一、民主化第二」という「新権威主義」ではなく、強い指導力で経済改革を推進して発展を加速することにすぎなかった。政治改革についても、「党の指導を堅持してさらに強化する」ためであり、党の指導を「減衰」し「否定」するものではなかったのである。

というのも鄧小平は、共産党の「統一的指導」がなければ、中国はいずれ「四分五裂」すると考えていたからである（鄧小平『鄧小平文選』第三巻、人民出版社、一九九四年）。これは民間の新権威主義者が憧憬した制御可能な改革を通じて民主化に向かう手法とは異なり、むしろまったく正反対のものだった。独裁主義者も新権威主義者のこのような定式を受け入れることができるのは、「新権威主義」が異なった立場や角度から行えることを証明している。民主化への支持者は「新権威主義」を専制から民主に向かうプロセスと理解し、独裁者もまた、それを既定の政治的枠組み内で経済発展と行政制度改革を進める道筋あるいは戦略と見なしたが、ここには中国共産党による党=国家体制を温存するという目的があった。

三　蕭功秦の新権威主義

もう一人の「新権威主義」の代表的人物、蕭功秦（上海師範大学教授、一九四六〜）は、その著書『超越左右激進主義：走出中国転型的困境』（浙江大学出版社、二〇一二年八月）で、改革時代の中国には二つの「急進主義」思潮が存在するとしたが、その一つは毛沢東時代への回帰を求める「左派急進主義」、もう一つがすっかり西洋化された「リベラル派急進主義」である。

これらの思潮は、中国の社会生活のなかで徐々に周縁化されはじめたものの、改革の過程で吹き出したトラブルや矛盾が日々先鋭化するのにともない、ふたたび活性化していったと主張した。さらに、保守に堕して社会矛盾の解消をおろそかにし、改革が滞れば、矛盾が激化し、中国はおそらく左右の「急進主義」とポピュリズムに挟撃され、厳しい危機に陥るはずだとした。さらに蕭功秦は、「中国は西洋化した自由化論者が鼓舞する〈色の革命〉を避け、極左が煽る教条主義者の〈文革の復古〉も忌避しなければならない」と訴えた（同上）。

だが、代表的リベラル派知識人の一人である徐友漁（元中国社会科学院研究員、一九四七〜）によれば、蕭功秦は口を開けば政治的急進主義に反対しているものの、中国の現実では政治体制の改革が遅れるどころか、一向にその動きすらない。いったい改革が性急すぎるのか、それとも粗雑すぎるのか。中国における政治的急進主義の党派的区別はどこにあり、それらの主張と代表的な人物はどこにいるのか。一般に知られる老左派や保守勢力と同じように、「蕭功秦は人民の民主の追求を『一晩にして成る民主』という無邪気な主張に、そして変革の要求を毛沢東の『大破大立』（大いに破壊し、大いに樹立する）という使い古された急進的革命に置き換えてしまった」というのである（徐友漁「蕭功秦的新権威主義：一剤不対症的薬方」『中国影響力網』二〇一四年三月三日）。

四　習近平と新権威主義2・0版

中共十八全大会が閉幕して習近平が国家主席に就任すると、蕭功秦は「新権威主義2・0版」という中国の政局に対する新たな見方を示した。フェニックスTV（鳳凰衛視）が二〇一三年十二月に主催した政治サロンで、蕭功秦は「鉄腕改革」の必要性と「新権威主義2・0版」の意味について述べている。

中共第十八期三中全会で決定された国家安全委員会と改革深化委員会の設立に至っては、「中国の政治制度は先進国家の常態政治（Normal Politics）とは異なり、常態政治は制度面の分権を必要とするが中国の転換期は非常態政治に属し、運用に当たっては効率を重視した〈可視的手法〉を採用して改革を推進し、統一的な集権力を発揮してこそ各部門の寡頭政治を防止して〈九龍治水〉（九頭の龍がそれぞれの部門を個別に管理することから生じる権限の分散）といったセクショナリズムを抑え、〈号令が中南海に止まる〉悪弊の横行を避けることができる」と解説している。

たとえば、鄧小平を改革開放で現れた「新権威主義」

の第一波とすれば、それは「新権威主義」1・0版とでもいうべきであろう。そうであれば、習近平の新政は改革開放以来現れた「新権威主義」の第二波であり、2・0版と理解できる。1・0版と2・0版の違いは、第一波の「新権威主義」は政府がこの可視的手法を駆使して市場経済改革を始動させたことにある。第二波の「新権威主義」は政府がこの手法を使って市場経済の改革を万全にして決定的にし、これまでの過程で直面した矛盾、すなわち「政府主導の改革が招いた水辺に近い楼台には真っ先に月の光が射す、といった利益独占と利益の固定化現象の克服に努めている」という（蕭功秦「中国為何需要鉄腕改革」『鳳凰網』二〇一三年十二月八日）。

もう一人の「新権威主義」者である呉稼祥は、きわめて興味深いことに、「習近平の新政」は習近平が本気で改革を考えており、呉の一連の「左傾した言論」は保守派の「ポーズ」に正気を失ったものにすぎないと考えている。呉稼祥は二〇一四年二月、『共識網』のインタビューで、政治家を見抜くにはその言葉で判断するのではなく、行動を見るべきであると答えた。そのうえで、「政治家が語る話は政敵を煙にまくためのものかもしれない。このことは山の頂上で戦うのにわざわざ不必要な迷彩服をまとうのと同じで、たいして重要なことではない」としている。

呉によれば、習近平は今まさに中国の法治の整備を進めており、「どのような帽子を被っているかではなく、どこに立っているのかを見きわめるべきであり、この基本方針は国民に政策とその遂行能力の近代化を示したものである。政策とその遂行能力とはすなわち政治制度の近代化であり、それが民主を拒否するとでもいうのだろうか。この報告は政治体制改革の大綱であり、残念ながら一般人にはそれが理解されていない」。呉稼祥はまた、「この報告が起草される以前に政治体制改革はすでに始まっていた」と強調している（呉稼祥「習李改革是中国重登世界之巓的契機」『共識網』二〇一四年二月二十日）。

五　習近平時代の新全体主義におけるリベラリズムをめぐる状況

習近平体制の成立（二〇一三年）後、中国における言論状況は厳しさを増し、当局は市民社会に対する弾圧をますます強めている。全国各地の弁護士、活動家、作家、ジャーナリスト、新公民運動などに参加した一般市民、民族問題や台湾、香港のデモについて発言してきた人々が当局による弾圧の対象になってすでに久しい。リベラル派知識人たちの多くは、中国からの出国を余儀なくされたり（逆に禁じられたり）、国内にいても、勤務する大学での自由な発言を制限され、授業そのものをさせないといった、当局からの直接的・間接的ハラスメントを受けてきた。

これらはみな、二〇一三年五月、党中央が普遍的価値、報道の自由、市民（公民）社会、公民の権利、中国共産党の歴史的な誤り、権貴資産階級、司法の独立について論じてはならないとする、いわゆる「七不講」（七つのタブー）と呼ばれるイデオロギー統制下で行われてきたことである。

張博樹は、九〇年代以降の民間における思想状況をめぐり、リベラリズム、新権威主義、新国家主義、新左派、毛沢東左派、党内民主派、憲政社会主義、儒学治国論、新民主主義回帰論という、時間軸を中心にして左右に展開する九つの政治思潮に分類している。これの分類の有効性はともかくとしても、このようなさまざまな政治的主張が、厳しい言論統制下にもかかわらず、顕在的かつ潜在的に、公然かつ水面下で、激しい思想闘争を繰り広げてきたことだけはたしかである。

もちろん、こうした緊迫した現代中国の支配権力をめぐる思想状況は、「新全体主義」体制の成立後にはじめてつくりだされたものではない。一九四九年以降の現代思想史を振り返ったとき、その流れの大きな結節点になったのが、一つは七〇年代後半の毛沢東体制（計画経済）から鄧小平体制（市場経済）への政策転換であり、もう一つは一九八九年の天安門事件による民主化運動の挫折であったことは明らかである。このことはおそらく、保守派と改革派、左派と右派、新左派とリベラル派とを問わず、多くの人々が広く認める事実であろう。したがって、大きな社会的変化にともなう政治的・思想的転換が生じたのも、これらの時期以降であったということになる。

中国では「社会主義市場経済」という名の「新自由主義」的な経済システムの拡大にともない、ほぼ四十年におよぶ改革開放を継続し、人類普遍の価値を守り、グローバルな文明の主流へと参入するのか、あるいは独自の中国的価値を模索し、世界に近代のオルタナティブを提供するのかという、中国における経済発展の背後にある価値の正当性をめぐる「普遍的価値」論と「中国特殊」論との論戦が繰り広げられた。ここでは、さまざまな「中国的価値」、「中国モデル」、「中国の主体性」といったテーマが、議論の中心を占めていった。たしかに、ポスト天安門事件期に急速に進んでいった高度経済成長とともに、党＝国家体制に収斂《しゅうれん》される強力なナショナリズムが醸成されたのは事実である。だが、この一党独裁を支えてきた中国の政治・社会思想状況は、必ずしもわれわれの目に映るほど一枚岩的なものではない。

六　現代中国的シニシズム（犬儒主義）の蔓延に抗うリベラリズム

　張博樹によれば、中国において左右に展開する「分家」はすでに二十年間存在してきており、江沢民政権の時期から胡錦濤や温家宝の時期にかけて、中国民間思想界の左右の対峙は徐々に形成され、互いを競合相手として、しかも基本的には安定した状態であり続けた。ある意味で、こうした安定状態は、江沢民、胡錦濤時代の「不作為」の結果であった。この状況は胡・温の二度目の任期中にすでに変化を生じさせているが、その象徴とは「〇八憲章」の発表（二〇〇八年）と官による弾圧（右派）、および民間の新左派、毛沢東左派、さらに重慶の「唱紅打黒（革命歌を歌ってマフィアを取り締まる）」（左派）との結合である。

　中国共産党の第十八回党大会（二〇一二年）から、習近平による新たな「全体主義」的統治の台頭につれて、中国の思想界の分裂はさらに激化していった。胡・温政権後期の党＝国家はすでに座標の右への抑圧の度合いを増大しはじめているが、ここでいう右とは穏健リベラルな知識界だけではなく、民間ＮＧＯ組織、都市や農村の権利保護運動、宗教の自由をめぐる運動・行動を含んでいる。こうした弾圧は、党＝国家・政府が新たな世紀に入ってから急速に発展した中国の市民社会への、いわば遅れてやってきた反応であり、党＝国家体制の別名である専制主義の立場に基づいた逆方向への弾圧的相互作用なのである。このような弾圧自体、党＝国家統治者の「左旋回」を示しているが、その中心点が時の経過とともに左へと移動するという「全体主義」への部分的回帰のプロセスは、すでに胡・温政権後期に始まっていた。

　実際、第十八回党大会後、習近平の「新全体主義」

が登場すると、中国共産党イデオロギーの「左旋回」はさらに激化し、中心軸は左への移動を継続している。このような「左旋回」は、民間での左右両翼の分別上、相互の反応を誘発している。張博樹はそうした意味において、毛沢東左派、新左派が、習近平の中央へ「媚を売っている」と繰り返し指摘している。それはいわば、「安楽への全体主義」（藤田省三）の国家レベルでの展開である。たとえば、張宏良（中央民族学院教授、一九五五〜）は習近平の「中国の夢」への解説を施し、王紹光（清華大学教授、一九五四〜）、汪暉（清華大学教授、一九五九〜）などは「普遍的価値」に対しても自覚的批判へと向かっているが、張博樹によれば、こうしたことはすべて彼ら本来の性格に基づいたものなのである。

習近平の身の上でますます強まっている毛沢東のような特徴は、毛沢東左派を興奮させ、また新左派を感激させている。たしかに、重慶事件（二〇一二年）によって薄熙来は政治の舞台から下りたものの、習近平の「新政」と重慶の「新政」とはまったく同じ流れを汲むものであるばかりか、規模はもっと大きく、その影響もさらに深遠なものとなっている。こうしたなかで、張博樹が警告しているのも、毛沢東時代へと部分的に逆行する現代中国社会において、「新全体主義」のもたらすシニシズムの蔓延に他ならない。

おわりに

これまで見たように、天安門事件（一九八九年）という武力弾圧によって「支配の正当性」の危機に陥った党＝国家指導者は、政治の民主化を拒否しながら市場化の改革を推進し続け、その後、「新権威主義」の導入によって三十年間という長期にわたる高度経済成長を実現していった。その過程において、中国共産党による一党独裁という名の現代の専制主義が第三段階に入るための条件を創出していったのである。その後、二〇一二年の中国共産党第十八回党大会を契機に始動した習近平の「新全体主義」体制は、権力を再び集中させる手段として、党＝国家と「紅色帝国」の勃興を目標に、市民社会に背を向けて突き進んでいった。現代中国における「新権威主義」体制から「新全体主義」体制への移行過程は、これら二つの微妙に異なる政治システムの共存時代を経て、やがて後者の定着に向けて進行しつつある。とはいえ、一見すると磐石にも見えるこの政治体制が果たして本当に維持可能なものなのかどうか、米中対立という覇権争いの激化ともあいまって、まだまだ予断を許さない状況が続いている。

【参考文献】


張博樹（石井知章・及川淳子・中村達雄訳）『新全体主義の思想史』白水社、二〇一九年。

石井知章・及川淳子編著『六四と一九八九』白水社、二〇二〇年。

石井知章「現代中国における『市民社会』論の展開」『社会思想史研究』（社会思想史学会年報：特集 東アジアの市民社会――理論、統治性、抵抗）二〇一九年九月。

石井知章「中国社会主義国家における『保守』と『守旧』――『左派』を基軸とする思想状況をめぐり」政治思想学会編『政治思想における「保守」の再検討』二〇一八年五月。

石井知章・緒形康編著『中国リベラリズムの政治空間』勉誠出版、二〇一五年。

石井知章編著『現代中国のリベラリズム思潮』藤原書店、二〇一五年。

敗北を招いた日本の対中平成外交

――中国の地政学的な長期戦略をなぜ見抜けなかったか

遠藤　誉

平成時代の日本の対中外交は、まさに中国を強大化させるためにひたすら手を差し伸べてきた外交だった。すでに中国は世界の覇権掌握を目指して歩みを進めていたにも拘わらず、日本はまんまとその世界戦略に絡み取られた。そして令和の時代に生きる日本人にそのつけが回ってきた。日本外交の危うさを指摘した遠藤誉氏の論考（『表現者クライテリオン』二〇一九年七月号掲載）を再録する。

平成時代の日本の対中外交は、まさに中国を強大化させるためにひたすら手を差し伸べてきた外交だったと言っても過言ではない。長期的戦略がまるでなく、その意味では敗北だ。

一　天安門事件前後の動向――一九九二年の天皇訪中

一九八九年一月八日に、日本は昭和から平成に変わったが、その同じ年の六月四日、中国では天安門事件が起きた。民主化を叫んで天安門に集まった若者たちを中国人民解放軍が銃や戦車で弾圧したのだ。若者の血で真っ赤に染まった天安門の惨状は、カラーテレビで全世界に伝わり激しいショックを与えた。その残虐さと非民主主義的な横暴により、アメリカを中心とした西側諸国は厳しい対中経済制裁への断行態勢に入った。

それに抵抗を示したのが日本だ。

同年七月十四日からパリ郊外で第一五回先進国首脳会議（アルシュ・サミット）が開催されたのだが、このときフランスは「自由と民主」を勝ち取ったフランス革命二百周年記念に湧いており、集まった各国首脳も中国の残虐行為を絶対に許さないという気概で結束していた。しかし、ただ日本一国のみが「中国を孤立させるべきではない」と主張し足並みを乱した。日本の代表として参加したのは当時の宇野宗佑首相（自民党）だが、激しい水面下の闘いにより、対中制裁決議宣言の文言を緩和させることに成功している。

このとき日本はバブル景気の絶頂期にあったため、それなりの発言権を持っていた。経済規模もアメリカに迫る勢いで、一九九五年までは成長の勢いが続きアメリカとの差を縮めている。よもや中国へのこの「配慮」が、今日の日中経済繁栄の逆転をもたらすとは思ってもみなかったにちがいない。

一九九〇年五月七日に訪中した宇野元首相に対して、当時の江沢民総書記は「昨年のサミットで中国を孤立させるべきでないと主張された宇野元総理に賛意を表する」と述べ、当時の李鵬総理は日本のＯＤＡ再開を要請。結果、一九九一年には海部首相が円借款再開を決定し、西側諸国から背信行為として非難された。

対中経済封鎖が始まると、鄧小平は直ちに部下を使って、日本の政財界に働きかけて日中友好の重要性を説き、微笑みかけてきていた。

一九九二年四月、江沢民は日中国交正常化二十周年記念を口実に訪日し、既に病気療養中だった田中元首相を見舞って、天皇訪中を持ちかけている。このころ江沢民は、「天皇訪中が実現すれば、中国は二度と歴史問題を提起しない」とさえ言っている。

中国は「日本を陥落させて天皇訪中さえ実現させれば、他の西側諸国、特にアメリカの対中経済封鎖網は崩壊する」という戦略で動いていた。その戦略は見事に当たり、一九九二年十月に天皇訪中が実現すると、アメリカも直ちに対中経済封鎖を解除して、西側諸国はわれ先にと中国への投資を競うようになるのである。それを見届けると、一九九四年から中国は愛国主義教育を開始し反日色を強めていく。

日本は中国の戦略にまんまと嵌ってしまったのだ。

遠藤 誉（えんどう・ほまれ）

41年中国生まれ。中国革命戦を経験し53年に日本帰国。中国問題グローバル研究所所長。筑波大学名誉教授、理学博士。中国社会科学院社会学研究所客員研究員・教授などを歴任。著書に『毛沢東 日本軍と共謀した男』『卡子（チャーズ） 中国建国の残火』『ネット大国中国 言論をめぐる攻防』『毛沢東 日本軍と共謀した男』『チャイナ・セブン 〈紅い皇帝〉習近平』『習近平　父を破滅させた鄧小平への復讐』『「中国製造2025」の衝撃 習近平はいま何を目論んでいるのか』など多数。

事実、当時の中国の銭其琛外交部長は回顧録で、天皇訪中を「対中制裁を打破する上で積極的な作用を発揮した」と振り返っているし、また「日本は最も結束が弱く、天皇訪中は西側諸国の対中制裁解除の突破口となった」とも言っている。

こうして二〇一〇年にはGDPにおいて日本は中国に追い越され、今では中国の三分の一という体たらくだ。

以下に示すのは二〇一六年に中国の中央行政省庁の一つである商務部が発表した資料である。一九八四年以降に中国が獲得した（中国語で吸収した）外資の年平均増加率と投資規模が示してある。

このグラフの一九九二年~九三年の薄いグレーのカーブを見てほしい（図1）。

外資の対中投資増加率が急増しているのが歴然としている。日本が天皇訪中を断行して低迷した中国経済に弾みをつけ、アメリカをはじめとした西側諸国が先を争って対中投資に雪崩れ込んでいった証拠が、このグラフに表れている。

このとき世界第二位の経済大国だった日本は凋落の一途を辿り、今や見る影もない。

二 一帯一路

それに比べて中国の戦略は地政学的視点でも長期性を持ち、強かだった。

一九九一年十二月二十五日にソ連が崩壊すると、中国は直ちに中央アジア五カ国を目まぐるしく回り、九二年一月七日までに「ウズベキスタン、カザフスタン、タジキスタン、キルギス、トルクメニスタン」を訪問して、その日の内に国交を結び、署名をして公布した。一月三十日までには旧ソ連が崩壊した後に独立あるいは誕生した全ての国との国交を結び終えた。

胡錦濤政権時代に「新シルクロード経済ベルト（帯）」と銘打ち、ウィグル自治区を経由地として中央アジアの石油を中国国内に引き寄せるだけでなく、日本から「頂いた」新幹線の技術に少しだけ手を加えて「中国の鉄道技術」として売り出すようになり、二〇一一年には西安からドイツのデュッセルドルフを直結する鉄道網形成に成功していた。

これが現在の習近平政権による「一帯一路」経済圏構想（二〇一四年）の基礎を成している。「一帯一路」に参加する国の数は一三三カ国に上る。二〇一九年四

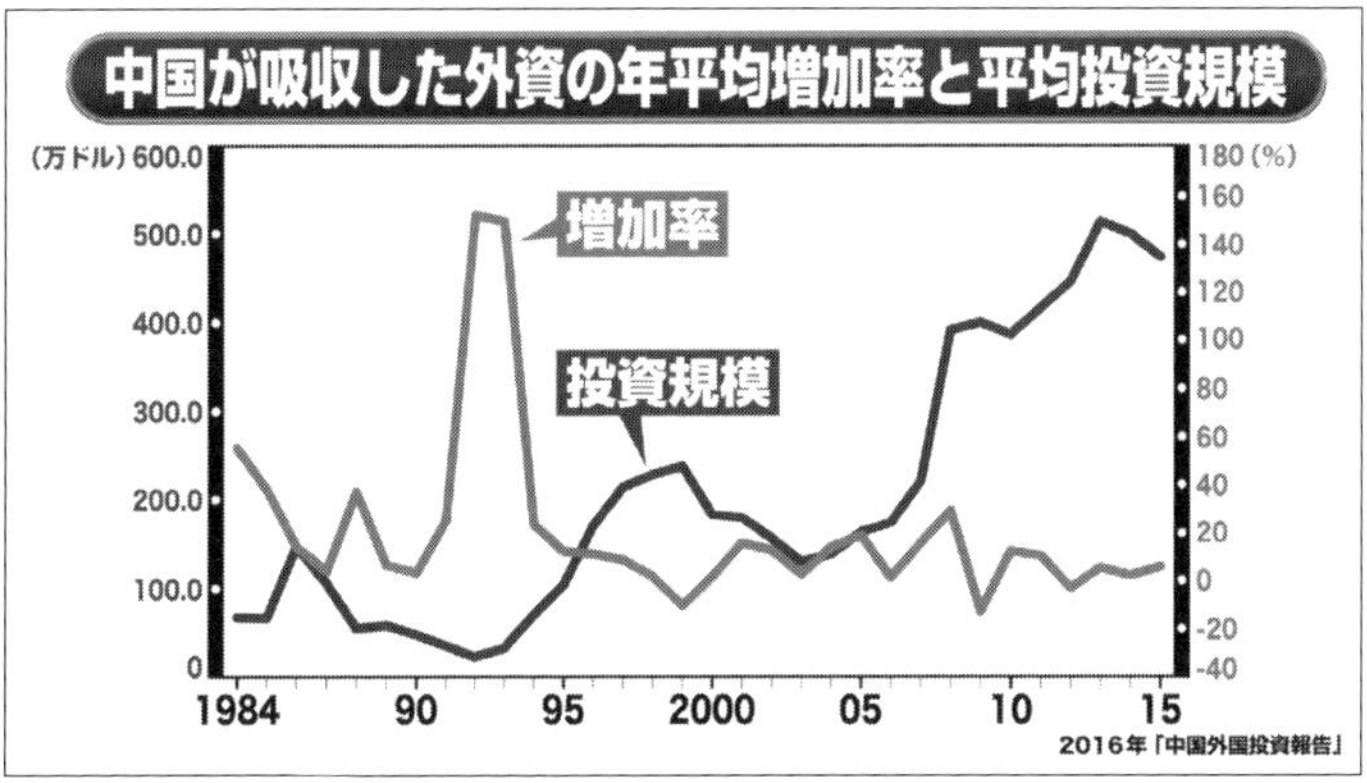

月二十五日に北京で開催された第二回「一帯一路国際協力サミット・フォーラム」には一五〇カ国以上の代表など五〇〇〇人が参加した。国連の加盟国が一九三カ国であることを考えると、国連に迫る勢いだ。

しかし、経済的に困窮している国にターゲットを絞って借金漬けにしながら債務の罠にはめていく手段は、まるで新植民地政策の観を呈する。

特に債務の罠にはまった国の港の使用権を中国が「九十九年間」所有するという数値は象徴的だ。アヘン戦争により香港がイギリスの植民地になり「九十九年間」租借されていたことを考えると、習近平政権のスローガン「中華民族の偉大なる復興」は、アヘン戦争後に中国が植民地化されていった歴史に対する「中華民族による復讐」だと位置づけることができる。「一帯一路」はその意味合いを持っている。

中国は一九九二年二月に、もう一つの地政学的な戦略を打ち出している。

「領海法」を制定したのだ。これにより「日本の尖閣諸島およびその周辺の海域」を中国の領土・領海として法制化してしまった。第一列島線を押さえようとする中国の長期的な戦略だ。

これに対して日本は抗議するどころか、「中国の法整備の一環だろう」として江沢民の来日準備に没頭し、日本の尊厳を捨て、日本の領土領海を中国のものとしてしまうことを国際関係においては認めたに等しい行動しか取らなかった。これを外交敗北と言わずして何と言おう。

三　ハイテク国家戦略「中国製造2025」

二〇一五年五月、中国はハイテク国家戦略「中国製造2025」を発布した。二〇二五年までに半導体の七〇%を国産化し、二〇三五年までには九〇%を、二〇四五年までには一〇〇%自給自足するという計画だ。同時に宇宙開発に力を注ぎ、二〇二四年には中国の参加を排除した国際宇宙ステーションの寿命が尽きるので、その前の二〇二二年までに中国独自の宇宙ステーションを稼働させる。建国百周年の二〇四九年までには、経済規模GDPにおいてのみならず、ハイテク界においても必ずアメリカを凌駕して世界を制覇するのが中国の野望だ。

言うばっかりではないかと思われるかもしれないが、現に中国は今年一月三日、人類で初めて月の裏側に軟着陸した。月の裏側には電波は届かないので地球から遠隔操作ができない。それを可能ならしめるために中国は昨年五月に中継通信用の衛星「鵲橋号」打ち上げに成功した。これは引力も斥力も何も働かないラグランジュ点という、宇宙の一点に固定しなければならず、至難の業だ。すると、アメリカの科学者が「私たちにも鵲橋号を使わせてくれ」と申し出てきた。この瞬間、宇宙において中国がアメリカに勝ったことになる。

また人類が誰も解読できない暗号である「量子暗号」を搭載した人工衛星「墨子号」を打ち上げ、人類で初めての「量子暗号通信」にも成功している。墨子号打ち上げチームに対して、アメリカの科学振興財団はクリーブランド賞を授与した。これはアメリカが中国の「量子暗号通信」のレベルの高さを評価したということになる。

科学者同士に政治はないが、何としても「中国製造2025」の成功を阻止したいトランプ政権は、受賞チームのアメリカ入国を禁止した。中国が「中国製造2025」に成功すれば、アメリカはハイテク界における世界のトップの座から転落してしまうことになる。だからトランプ大統領は、5Gで世界の最先端に行きつつある華為技術（Huawei）の製品は安全上問題があるとして排除しようとしているが、うまく行っていない。

せめて貿易問題で中国を締め付けようと必死だが、日本はこの点でアメリカと歩みを共にしていない。

四　中国のシャープパワーに、まだ気づかない日本

かつて旧ソ連のスターリンは世界を赤化するためにコミンテルンという組織を使って「紅いスパイ」を世界主要国の政権中枢に潜り込ませていた。

それと類似のことを中国共産党政権もやっており、特に習近平政権になってからは顕著だ。たとえば二〇一七年十一月三十日に「中国共産党と世界政党ハイレベル対話会」が北京で開催され、百二十数カ国の三〇〇以上の政党から成る六〇〇人の幹部たちが一堂に集まったが、これは、世界最大の政党である中国共産党（党員数、約九〇〇〇万人）が各国の政党に影響を与えようという戦略を実行するためだった。「西側の価値観」に代わって、中国がグローバル経済をテコに「北京発の世界の価値観」を創りあげ、一気に中国に傾かせていこうという心理戦ということもできる。そのために関係各国の政党の中から「キーパーソン」を見つけて、その人に「ターゲット」を絞り洗脳していくのも手段の一つだ。

日本でターゲットとして目を付けられているのは自民党の二階幹事長や公明党の山口代表などである。中国は二階幹事長らを通して安倍首相に影響をもたらし、安倍首相が「一帯一路」に協力する方向に誘導してきた。その戦略はみごとに功を奏し、安倍首相は習近平国家主席に「一帯一路に協力するから、どうか私を国賓として中国に招いて欲しい」と懇願し、そして「どうか私のメンツを立てて、習近平国家主席殿下には訪日していただきたい」とひれ伏して頼んでいる。

先述した第二回「一帯一路国際協力サミット・フォーラム」に参加した二階幹事長などは習近平国家主席との会談後、記者団に「今後も互いに協力し合って（一帯一路を）進めていく。米国の顔色をうかがって日中の問題を考えていくものではない」と強調している。

ここまで至ると、日本はもう「中国のもの」である。

アメリカはこれを「シャープパワー」と称し、二〇一七年十一月、アメリカのシンクタンク「全米民主主義基金」が警告を発した。これは軍事力のような「ハードパワー」でもなければ、文化の衣を着た「ソフトパワー」でもなく、鋭く相手国の中枢に斬り込んでいく「ナイフのような鋭さ」を持っているため、「シャープ」という言葉を選んだようだ。

しかし、日本は――?

日本は政権与党の自民党が、自ら好んで中国がアメ

リカを凌駕する地位にまで登りつめるために、中国の勢いを加速すべく手を貸しているのである。中国の危険な「シャープパワー」に気が付いてさえいない。中国は今トランプ大統領が仕掛けた貿易戦争により困っているからこそ日本に微笑みかけているのだ。日本が中国をはね付けてもいい数少ないチャンスを日本は活かすことができないでいる。

　中国は一帯一路参加国の内の発展途上国に代わって人工衛星を打ち上げてあげることによって宇宙の実効支配にも手を付けているが、日本にはそれも見えていない。

習近平に滾《たぎ》る鄧小平への復讐心※

※ここからは二〇二一年七月に加筆した内容である。

　二〇二一年七月一日、中国共産党建党百周年記念式典が天安門で行われた。中山服を習近平だけが着ていたのは、毛沢東を模倣したからではなく、江沢民政権以来、国家の最高トップ一人だけが中山服を着て天安門の楼閣に立つという決まりがあるからで、胡錦涛も同様に一人だけ中山服を着ていた。

　しかしだからと言って、習近平の毛沢東に対する特別の思いがないわけではない。むしろ強烈な思いがあり、それを知らない限り、中国の国家戦略を分析することができない。それは一言で言うならば、習近平の心は「父・習仲勳を破滅に追いやった鄧小平への復讐」に燃え滾っているという事実である。

　習仲勳は革命の聖地「延安」がある西北革命根拠地を築いた英雄の一人だ。一九三四年から三六年にかけて国民党軍から逃れるため「長征」を続けた毛沢東率いる中国共産党軍にとって、そのとき唯一残されていた革命根拠地は陝西省を中心に築かれていた西北革命根拠地だけしかなく、これによって中国共産党軍は生き延びることができた。

　だから毛沢東は習仲勳を高く評価し、後継者の一人と位置付けていた。

　このままでは自分の出番がなくなると計算した鄧小平は、様々な陰謀をめぐらせ一九六二年に習仲勳を失脚させただけでなく、習仲勳の功労をかき消すために延安の存在を薄めた。

　十六年間に及ぶ牢獄・軟禁・監視生活を終えて一九七八年に政治復帰して広東省に赴任した習仲勳は、深圳を「経済特区」と名付けて、当時、党と政府と軍のトップに立っていた華国鋒とともに改革開放の口火を切った。しかし鄧小平は華国鋒を失脚させただけでなく、一九九〇年に全人代常務委員会副委員長に戻っていた習仲勲を再び鶴の一声で下野させ、二人の功績を横取りした。

そのため習近平は二〇一二年十一月に中共中央総書記としてトップに立つと直ちに深圳を視察し、深圳を中国のシリコンバレーと呼ばれるまでにハイテク基地化して、深圳・香港・マカオをつないだグレーターベイエリア構想を何としても実現しようとしている。なぜならこの構想の概念を最初に提唱したのは習仲勲だからだ。そのため如何なる批判を受けようとも、香港の経済発展を重視して民主化運動を阻んでいる。

一方、習近平は政権発足と同時に「初心忘るべからず」を党のスローガンとして、鄧小平によってかき消された「長征」と「延安」の重要性を強調し、中国を「真っ赤に染めている」。これを文化大革命の再来と称する人がいるが、文化大革命は国家主席の座を退いた毛沢東が北京の中央政権を討伐するために起こしたボトムアップの運動だ。勘違いしてはならない。

二〇一七年の第十九回党大会で習近平は自らの名を刻み込んだ「新時代」の思想を党規約に書き込み、翌年の全人代で憲法を改正し、国家主席の任期を撤廃させた。

「新時代」とは「米中の力が拮抗する時代」のことで、習近平はたまたまこのタイミングに出くわし、アメリカを乗り越えるのは「この自分の手で」という狙いを胸に、鄧小平を乗り越えようとしている。中国には「毛沢東の新中国」と「習近平の新時代」しかないと位置付けているのだ。

但し、習仲勲が「少数民族を愛し大切にし、異なる意見を取り入れなければならない」と主張したのに対して、習近平は親の理念を裏切って、少数民族と言論の自由を弾圧している。これは逆に「一党支配体制を維持するためには、少数民族を弾圧し言論統制を強化するしかない」ことの証左であり、これが習近平のアキレス腱であることを見抜けなければならない。

詳細は『裏切りと陰謀の中国共産党建党100年秘史 習近平 父を破滅させた鄧小平への復讐』（ビジネス社）に譲る。

再考すべき日本の島嶼防衛

――迫り来る中国の脅威に備えて

山田吉彦

中国にとって台湾攻略は最優先課題である。尖閣諸島への侵出はその一環であり、中国公船の威圧行為は今や軍事的な色彩すら帯びてきた。『表現者クライテリオン二〇一九年七月号』で、中国の海洋戦略と島嶼防衛の態勢強化を訴えた山田吉彦教授の論文を再録する。

日本は平和な国ではない。領土を侵略されているうえに、新たに領海や海域を脅かされている。迫り来る危機から目を背け、問題を先送りしているだけである。その結果、中国との間の尖閣諸島周辺海域では、問題が複雑化し、韓国に軍事占領された竹島は、強固な実効支配体制が敷かれている。一九四五年八月、日本がポツダム宣言の受諾を表明し、終戦の詔が発せられ、敗戦を受け入れた直後、ソ連軍の侵攻を受けた北方四島（択捉島、国後島、色丹島、歯舞群島）は、未だ返還の目途がたっていない。すべての問題は、先送りしたがために、より深刻な問題となっているのだ。現政権も尖閣諸島における日本人の常駐を表明していたが、今では、話題に挙げることもない。

着々と増強される中国海警

二〇一九年五月、尖閣諸島海域の接続水域内には恒常的に四隻の中国海警局の警備船（中国公船）が姿を現している。日本のメディアの多くは、中国公船による領海侵入に馴れてしまい、大きく報道されることは無くなっている。それどころか多くの日本人が、領土を脅かされることに危機を感じなくなってしまっているようだ。

二〇一七年以前は、ひと月に三回のペースで繰り返されていた領海侵入が、二〇一八年に入り二回か一回に減っていたことで、中国公船の行動も沈静化したとする中国に関する評論家もいた。しかし、実際に尖閣諸島を警戒している海上保安官は、毎日のように領海の外側に姿を現す中国公船に、かつてない脅威を感じた。尖閣諸島海域に姿を現した四隻の中国の警備船は、尖閣諸島の警戒に当たっている一〇〇〇トン型巡視船とは比較にならないほど大きな艦船となっていたのだ。かつては、波の高さが四メートルを超える荒天になると、中国公船は撤収していたが、二〇二〇年からは船が大型化し、中国公船の航行が常態化している。さらに、多くの中国公船は、ヘリコプター甲板を持ち、海保巡視船が搭載している二〇ミリ機関砲の能力を上回る大型の機関砲を装備していた。

二〇一六年、海上保安庁は、頻繁に尖閣諸島の領海に侵入する中国公船や密漁を繰り返す中国漁船の警戒のために、第一一管区海上保安本部石垣海上保安部に六〇〇人の海上保安官、一〇隻の一〇〇〇トン型（実質一五〇〇トン）巡視船からなる尖閣専従部隊を発足させた。尖閣専従部隊には、那覇に拠点を置く三〇〇〇トン型巡視船が常時支援体制についている。しかし、二〇一八年九月以降、尖閣諸島周辺海域に姿を見せている中国公船の船団は、五〇〇〇トン型が一隻、四〇〇〇トン型が一隻、さらに三〇〇〇トン型二隻という陣容が多い。新鋭の警備船、海警２４０１が、姿を現しているが、この船は「多機能海洋法執行船」であり、航続距離が一二〇〇〇海里と長く、三〇日間、外部からの燃料、食料の供給が不要な自力航行が可能となっている。中国の得意な長期戦に備えて作られた警備船なのだ。仮に五〇〇〇トン型の中国警備船が一〇〇〇トン型の海保巡視船に接触した場合、海保の巡視船の船体が破壊され沈没する可能性もある。また、中

山田吉彦（やまだ・よしひこ）

62年千葉県生まれ。学習院大学卒業。埼玉大学大学院経済科学研究科博士課程修了。東洋信託銀行（現三菱UFJ信託銀行）、日本財団などを経て、現在、東海大海洋学部教授。専門は海洋政策、海洋安全保障、国境問題、現代海賊問題など。著書に『日本の国境』『海賊の掟』『海の政治経済学』『日本は世界4位の海洋大国』『海洋資源大国　日本は「海」から再生できる』『日本国境戦争』『侵される日本　我々の領土・領海を守るために何をすべきか』『国境の人々　再考・島国日本の肖像』『ONE PIECE勝利学』など多数。

国警備船の機関砲は、海保の機関砲よりも口径が大きく、有効射程距離も長く破壊力も強い。

中国海警は、尖閣専従部隊が設立されてから、わずか二年の間に海保の警備体制を超える船団を派遣する体制を整備したのだ。さらに、中国海警は、一二〇〇〇トン級の警備船を二隻保有しており、この警備船には軍艦と同様な七六ミリ砲が装備されている。二〇一九年現在、海保の巡視船で五〇〇〇トン以上の大きさの船は、「あきつしま」「しきしま」「やしま」「みずほ」の四隻だけであり、中国海警局の勢力は、海保を凌駕するほどになっているのだ。海保も長期航行が可能な大型巡視船の建造を急いでいる。

また、中国は、尖閣諸島を中心とした東シナ海での中国公船や大漁船団の活動状況を、中国の国営放送である中国中央電子台（CCTV）を通して、全世界に配信している。この映像を見た世界の人々に東シナ海が中国支配下にあるように錯覚させることが狙いだ。

二〇一八年三月、中国の海洋侵出は新たな段階に入った。国会に相当する全国人民代表大会において、大幅な政府機構改革が決定された。この改革の中で、これまで国家海洋局に所属していた中国海警局は、中華人民共和国中央軍事委員会の管轄下の武警と呼ばれる中国人民武装警察部隊に編入されることになった。そして、七月、中国人民武装警察部隊海警総隊として発足したのだ。中国海警は、海上警備機関でありながら人民解放軍や民兵と一体化して行動する軍事組織の性格も合わせもつようになり、米国の沿岸警備隊と同様に戦うことができる海上警備機関となったのだ。ただし、呼称は変更せずに「中国海警」を名乗っている。

さらに、二〇二〇年、海警法を施行し、中国の主権を脅かす勢力に武器を使用し排除することを宣言している。

中国海警と違い日本の海上保安庁は、海上保安庁法第二五条の規定により、軍隊として組織され、訓練され、軍隊の機能を営むことが禁じられている。海上警備行動の規定はあるものの、海保と海自が一体化して作戦行動をすることは実質的に不可能である。軍事組織の一部となった中国海警と海保は、同等の海上警備機関ではなくなっているのだ。軍隊や民兵と一体となった行動、武力装備においても対抗する相手ではないのだ。

台湾、そして日本を脅かす中国海軍

さらに中国海軍は、劇的に進化を始めている。まず、ウクライナから購入した航空母艦を改造し、空母「遼寧」を就航し、現在、二番目、三番目の二隻の空母を建造中である。さらに、南シナ海の洋上には人工島を建築し、洋上に軍事拠点を作り上げている。南シナ海に建築した三か所の人工島には、それぞれに三〇〇〇メートル級の滑走路、四〇〇〇人収容規模の兵舎、地対空ミサイル、地対艦ミサイルが配備されているようである。さらに、人工島に一般人を生活させ、実効支配体制の確立を進めている。中国の海軍の機動力は、急速に向上している。中国海警の軍事組織化と合わせ、海軍に所属する上陸機動部隊である「陸戦隊」の拡充に乗り出した。陸戦隊は、米国の海兵隊に相当し、現在一万人の人員を有している。二年後の二〇二〇年には三万人まで拡充する予定だ。揚陸艦艇を駆使し、他国の島嶼を占領し、そこを拠点として海域支配の拡大を目指しているのだ。また、中国は、新型の飛行艇AG600を開発し、今年十月に水上からの飛行発着試験に成功している。AG600は、搭乗可能人員が五〇名と多く、実用化されるとアジア海域における海上、そして島嶼の安全保障体制の再考も必要となるだろう。中国による海洋侵略を受けているフィリピンやベトナムなどの国々にとって、危機的な状況となっているのだ。そして、この中国の海洋安全保障の強化に最も脅かされているのは、台湾である。

東シナ海に話を戻すと、中国にとって尖閣諸島侵出は、台湾戦略の一環でもあり、一つの中国を目指す戦略の中枢にある。台湾の東の海上に位置する尖閣諸島は、台湾攻略の要であり、尖閣諸島周辺海域を管轄下に収めることは、台湾攻略の有効な戦略基盤となる。中国にとって尖閣諸島侵略は、対日戦略のみならず、祖国統一にとっても重要な意味をもっている。核心的利益である台湾を取り込むことは、中国共産党にとっての最優先課題であり、習近平国家主席にとって実現すべき目標である。米国を訪れた魏鳳和国務委員兼国防相は、「我々はかつて米国が南北戦争でしたように、いかなる犠牲を払ってでも祖国の統一を維持する」と台湾戦力に対する軍事的可能性を示すと同時に、中国政府の祖国統一にかけた強固な意志を現した。

独立勢力としての台湾の軍事的な危機は、隣接する日本に多大な影響を及ぼすことになる。東シナ海において扇の要の位置にある尖閣諸島の防衛は、日本の海洋安全保障の根幹である。台湾の社会を守り、さらに台湾に暮らす人々の自由と平和な暮らしを維持するためには、尖閣諸島、そして東シナ海における防衛体制の確立が求められる。そして、台湾攻略の次は、中国のシーレーンに隣接する沖縄への侵出も警戒しなければならない。

総合的な防衛戦略の確立を

その点において、二〇一六年に陸上自衛隊西部方面総監部の隷下部隊として新設された与那国沿岸監視隊の役割は大きい。与那国沿岸監視隊は、東シナ海における情報収集拠点であり、東シナ海の安全維持に極めて重要な活動をしている。また、二四〇人の自衛隊及びその家族の移住は、国境の島・与那国島の生活基盤の安定に寄与している。国境の島に暮らす人々に安心をもたらしているのだ。

もしも島嶼が他国の侵略など危機的な状況に陥った場合に対応するために、二〇一八年三月、日本型の海兵隊機能を持つ水陸機動団が新設された。東シナ海東岸の長崎県佐世保市に拠点を置き、東シナ海の島々をはじめとした日本の島嶼防衛、沿岸防衛を担い訓練を行っている。

さらに二〇一九年、陸上自衛隊は奄美大島の奄美市と瀬戸内町の二か所に駐屯地を開設し、黒潮が北上する海域の監視を強めた。この二か所の拠点は、東シナ海と太平洋を結ぶ海域の重要な防衛拠点となった。また、宮古島にも駐屯地を開設し、沖縄本島と宮古島の間にある宮古海峡の防衛体制の強化を図った。いずれの基地にも地対艦ミサイルシステム、地対空ミサイルシステムが配備されることになり、東シナ海を囲む防衛体制が強化されているのだ。今後は、尖閣諸島を行政区域に持つ石垣市、石垣島における防衛施設の新設が進められている。石垣島に防衛拠点ができることで、東シナ海沿岸の防衛体制が連携するのである。

尖閣諸島は、日米安全保障条約第五条の適用対象となり、尖閣諸島が侵略された場合、米軍による支援があると期待されているが、日米安全保障条約が適用されるのは、侵略された地域が日本の施政下にある場合だけである。国際的に見て、尖閣諸島が日本の施政下にあることが求められるのだ。中国は、メディアを利用し、中国が尖閣を管理している印象を作っている。

日本は、しっかりとした実効支配体制を示す必要があるのだ。日本の防衛は、未だ性善説に立っているが、中国の南シナ海戦略を見る限り、性善説は通用しないことは明確である。今後は、陸上からの沿岸防衛、海上における防衛、上空からの監視など陸海空一体となった防衛体制を踏まえ、宇宙戦略、サイバー戦略を進める必要がある。また、外交による武装しない防衛力の強化は不可欠である。

日本のみならずアジア海域の平和と安定を築くためには、他国の動向に注視し、日本が海洋国家として総合的な海上安全保障戦略を推し進めることが重要なのだ。

現代中国に見る「商鞅《しょうおう》の変法」
——富国強兵の要諦は厳罰主義と愚民化政策にある

橋本由美 元会社役員

民衆の自由を否定し、ウイグルやチベットなど異なる文明圏の人々の強制的な同化を進める中国。その威嚇的支配は今に始まったものではなく、紀元前から受け継がれた統治法である。

歴代王朝の法的骨格に痕跡を残す

中国の統一は秦に始まる。中原の旦那衆の国々から僻遠の田舎者と除け者扱いされていた秦が全土を席巻して一大帝国を築くことができたのは、前四世紀半ばの孝公の時代の政治改革に淵源がある。魏の宰相・公叔痤に仕えていた商鞅が、公叔痤の死後、秦に赴いて孝公の下で行った変法が秦を強靭な国家に変えた。商鞅の変法はその後の始皇帝による統一に止まらず、漢代の諸制度や法律にも影響を与え、歴代王朝の法的骨格にも痕跡を残す、理論・実績ともに革命的な大事業であった。

司馬遷による法家の評価は辛い。『史記・商君列伝』では、商鞅の政治改革の業績を認めるよりも、「天資刻薄の人」としてその人格を嫌い、殺害された屍《しかばね》を車裂きにされるという非業の最期に対しても同情を示さない。ひとつには、既に漢という儒教的な政治体制による安定した治世にあって、体制を破壊しかねない法家の革命的な急進性を危険視したこともあるだろう。それでも、漢の政治体制には秦を受け継ぐものが多く、それは後世の帝国の在り方にも及んでいる。

文化大革命当時の中国の出版物には商鞅の名が頻繁に

登場した。どのような出版物であれ、まず「毛沢東同志」を称え「美国帝国主義」（アメリカ）を強く非難することから書き始めなくてはならなかった検閲の厳しい時代に商鞅が意識されていたことは、この変法が現・中国共産党の基本姿勢として受け継がれているとも考えられるのである。

　中国はいま、香港問題やウイグル・チベットなど国内の少数民族に対する弾圧で欧米諸国から人権侵害を糾弾されているが、古代の商鞅の変法では統治者は人民をどのように捉え、どのように扱っていたのだろうか。

　商鞅の生涯は『商君列伝』によるところが大きいが、その理論や思想は『商君書』に詳しい。但し、これは本人直筆の書ではなく、後世の編纂である。全二九篇（現存は二六篇）で、各篇の成立年代は異なり、中にはかなり時代が下ってから加筆されたものも含まれるが、全体としては概ね当時の変法の様子を正確に伝えている。その中で『農戦篇』と『開塞篇』は最古のものと言われ、商鞅の変法を知る上で最も重要な部分であり、自著に近い内容と考えられている。『商君列伝』に「余嘗て商君の開塞、耕戦の書を読む」とあり、韓非子の『五蠹篇』には「管商（管仲と商鞅）の法を蔵する者、家ごとにこれあり」とあって、秦漢を通して『商君書』が広く読まれていたことが窺える。

生産向上と軍功のみが褒賞の対象

　商鞅の変法とは、いったいどのようなものであったのだろうか。

　中国で本当の意味での革命（revolution）というのは、実は、この商鞅の変法だけであったと言っても過言ではないほど、衝撃的な大改革であった。改革の対象になったのは、政治、経済、社会、文化のあらゆる面に及び、その目的は中央主権国家の成立にあった。それまで実質的に国政を司っていた卿・大夫といった謂《い》わば「貴族階級」の勢力を削ぎ、皇帝を中心とした厳格な法治による中央集権を目指したものである。当然、打撃を受けた貴

橋本由美（はしもと・ゆみ）
東京都出身、1952年生まれ。雙葉学園卒業、青山学院大学文学部史学科修士課程修了。元会社役員。

族階級の恨みを買い、孝公の死後に悲惨な最期を招くことになるのだが、強引な旧勢力の権力の剥奪はそれだけ激しい変革であり、「革命」そのものであったと言える。「易姓革命」は、「姓」を「易える」王朝交代であって、皇帝を中心とした中央政権の仕組みは引き継がれ、revolution とは異なる。

『開塞篇』『農戦篇』で述べられていることは、中央集権のための要諦であり、富国強兵の推進である。富国策としては農本主義であり、人民の労働力を耕作に集中させる必要性を説き、強兵策としては信賞必罰を説く。

ここで繰り返し述べられているのは、国を富ませる唯一の政策は当時の経済基盤である農業生産の励行であり、そのためには人民が農事を怠けないように、官吏たちは厳しく人民を管理しなければならないということである。官吏には農業生産の向上と軍功によってのみ爵位という褒賞を与え、それ以外の出世の道はないとする。

全篇を通して徹底しているのは、愚民政策である。多くの箇所で、学問、道徳、善行、弁舌、英智、商賈などは、富国強兵の目的を妨げる害にしかならないと、くどいほど断じている。学問詩歌の教養や技芸に秀でた者、口先の上手い者は農業という過酷な労働から巧みに逃れようとするし、私利を追求する商人も楽をして儲けることで労働を忌避するようになる。国家目的を遂行するためには、官吏も人民も農耕と兵事にのみ関心を向けるようにしなければならない、という主張である。

文化大革命にも繋がる愚民化政策

いくつか例文を拾ってみよう。

「国、言を去れば、則ち民樸なり。民樸なれば、淫せず。」（農戦篇）

国家が言論を排除すれば（言論統制）、人民は質樸になる。人民が質樸になれば、勝手な振る舞いをしなくなる。

「農に属すれば樸なり。樸なれば、令を畏る。」「それ民の情、樸なれば則ち労を生じて力（つと）め易し。」（算地篇）

農業に従事すれば、人民は質樸になり、質樸になれば、法令を畏れるようになる。

質樸であれば、労力を惜しまず働くようになる。

「義を以って教ふれば、則ち民縦（ほしいまま）なり。民縦なれば則ち乱る。」（開塞篇）

道義を教育方針とすれば、人民は束縛されずに恣に振舞うようになり、人民が好き勝手に振舞えば、国は乱れる。

「良民を以って治むれば、必ず乱れて削らるるに至る。姦民を以って治むれば、必ず治まりて彊に至る。」(説民篇)

人民を良民と見做して治めれば、必ず国は乱れて国土を削られるが、姦民と思って治めれば、必ず国は治まって強国となる。

「国の大臣、諸大夫、博聞弁慧游居のこと、皆為すを得るなし。」(墾令篇)

国の大臣や大夫たちが学問知識を得ることや旅に出て見聞を広めることが出来ないようにする。他の世界を知らなければ、農業に専念するようになる。

「民をして心を農に帰せしむ。心を農に帰すれば、則ち民樸にして正すべきなり。」「紛紛たれば則ち使ひ易きなり。」(農戦篇)

人民を農業に従事させるように仕向ければ、人民は質樸で愚昧なままであり、治め易くなる。

実際の法令に関する部分よりも、表現を変え例を変えて、人民を如何に愚昧なままで管理するかという議論に多くを割いている。庶民に対する徹底した愚民政策と同時に、官吏に対しても文化教養的な嗜好を禁じ、余計な知恵を与えないようにすべきだと説く。知識人を否定し言論を禁止することは、後の焚書坑儒や、更には文化大革命時の知識人の下放に繋がる考え方である。

温情主義は国家を弱体化させる

このような人民蔑視の態度は、法家に限ったことではない。同時代の性善説の孟子でも性悪説の荀子でも、支配層の士大夫以上の者は、人民に寄生することを当然とした上で人民の扱いを考えている。老子の「無為自然」でさえ、人為を捨てて自然に帰することは、その主体性を放棄し、聖人の絶対性に従うという権威主義の是認が潜んでいて、何れもこの時代の同質な社会基盤の上に成立したものだと言える。

それでも、人の本性を善であれ悪であれ、何らかの人格的なものを認めている儒家とは異なり、法家の人民を見る目は「放置すれば弛緩する」だけの無機質な粒子の動きを監視する態度である。

愚民政策の目的は富国強兵である。実施に当って用いられた手段が信賞必罰である。

皇帝直属の体制下で一元的な報奨制度と罰則を細かく規定し、官吏に生産向上と軍功を競わせた。国によって与えられる爵位以外の名誉は認めず、罰則は厳しく行われた。

その端的な考え方は「九刑一賞」にある。これは、刑罰と褒賞の対象や頻度の比であり、刑罰により重きを置く。古来の聖人君子による「九賞一刑」という温情主義は、時代が下った今は国家を弱体化させるだけのものであると言う。

中国の刑罰に関する成文法は世界的にも古く、古代中国で「法」というとき、多くの場合は刑法を指す。刑法の起源が古いと言っても、ヨーロッパの刑法が、中世以後、権力者の擅断に対して犯罪と刑罰の関係を法律によって規定しようという、個人の自由を保障するものとして整えられてきたのとは発想を異にする。古代中国では、民衆に対する威嚇であり、予防効果を大きな狙いとしている。取り締まる側の官吏の勝手な解釈や独断、酌量、賄賂の余地をなくすという点では、ヨーロッパの刑法成立に通じるものがあるが、それは個人の自由の権利のためではなく、国家統制の乱れを警戒したためである。

法家の刑罰には、周禮に見られる罪人の矯正という観点もない。専《もっぱ》ら社会秩序の維持を目的としたもので、要は見せしめである。懲役刑には囚人による兵役や土木工事の労働力の確保という側面もあった。現代風に言えば強制労働に従事させたと言える。

刑法の規定は細かく分量も多い。予防効果を主眼としているために、些細な罪の兆候も見逃さず、刑罰の対象行為が増えることになる。密告を義務とし、密告を怠れば罰せられ、多くの場合連座制により密告をせざるを得ない状況を作った。身分のある者でも、違反すれば必ず罰せられた。一切の温情を退けた厳罰主義は、「刑を以って刑を去る」、即ち、重刑厳罰を確実に遂行することによって刑罰が不要な理想の状態を実現することを目的とした。

刑罰の細かさや分量の多さに比べて褒賞の対象は限られる。軍功を重んじ、これは必ず爵位を以って報いた。褒賞が守られるという保証がなければ、誰も法令に従わないからである。爵位という名誉に効果があったということは、支配層に於ける権威主義的な階級社会の肯定でもあった。

自由や個人という概念は存在しない

商鞅の改革は、旧勢力にとっては下からの改革であったが、人民にとっては上からの改革であった。人民は生命も財産も常に支配層に従属していて、彼らの権利や自由といった要求はなされない。これはこの時代に限ったことではなく、清王朝に至るまで、法は支配層の側からのみ編纂されてきた。法を人民の側から改正しようとする意欲は見られず、現状への不満から反乱を蜂起しても、その後に自ら法を定めることなく次の為政者に従う。法が人民の権利を守る為のものではありえなかったことで、法は蔑《ないがし》ろにされた。一方で、人民には為政者に対して卑屈な恭順があり、権威に対して形式的に追従する傾向があった。自覚的に改革を目指す姿勢やエネルギーが人民の側に見られなかったことが、権威主義を容認してきたとも言える。

文化の軽視と専門性・才能の無視、思想・行動の制限には、自由や個人といった概念は全く存在する余地はない。個人という意識がなければ、公という意識は生じない。公私の区別が曖昧なところに、賄賂や職権の乱用が起こる。特に、民衆と権力者の中間にある官吏階級には、弱い相手には尊大になり、強い相手には卑屈になる傾向があった。尊大と卑屈は権威に対する表裏である。

法家の目指す国家像は、皇帝を戴きながらも皇帝の人格さえ無視した「組織論」と言える。儒家は賢者を論じ人格主義であるが、法家は凡愚な君主であっても組織として機能する安定した秩序を理想とした。君主から下級官吏に至るまで、支配側の人間に対してその人格や能力を問うのではなく、組織としての実務の忠実な遂行が求められた。

国家と個人の関係に於いてこの変法から見えて来るのは、行為は全て報酬を伴うというものである。特に君臣の関係は、正の報酬・負の報酬に縛られた利害関係であり、そこに信頼関係は生じない。統治者に対する一方的な奉仕には恩賞が必要になる。間違いなく罰せられるという恐怖はあっても、恩賞が当てにならなければ、奉仕もない。常に相手に対する疑いが厳しい規定を必要とするのであり、行為には打算が伴う。当然ながらそこに主従間の「忠誠」は生まれない。

中世ヨーロッパや日本の武家社会に見られるフューダルな関係の忠誠心も、古代ギリシャの都市国家にあった個人の信頼関係や市民の権利や自由という意識も中国では希薄であった。

帝国を纏めるために現れる暴力性

中国で専制国家が続いたことは「歴史の進歩がなかっ

た」ということではない。古代・中世・近代という流れはヨーロッパの歴史の特色であり結果であって、他の地域に普遍的に通用するものではない。封建制や共和制といった諸々の政治形態は、目的を持った方向性によって生じるものではなく、山地・河川・港湾などの地形の制約や気候・自然環境、農業形態・産業の在り方、外部の刺激や影響など、多くの条件が複合的に関わった結果である。ウェストファリア体制で他の西欧諸国に比べて長い封建時代を経験したドイツにおいて、近代化を意識した「進化」が歴史の要因と考えられたのはやむを得ないことかもしれない。しかし、歴史が進化という直線的な目的を持つことはない。寧《むし》ろ、南方熊楠の萃点のように、与えられた条件と偶然性が影響し合って変化する現象と言えるだろう。

中国が、歴史上何度も分裂していくつかの国が共存する時代を経験しながら、結局は再統一されて、広大な地域を治める帝国が安定した時代を築いてきたことは、この地域特有の要因によるものであり、ヨーロッパと異なる条件下にあったということである。多くの権威主義的国家や専制国家が容易に民主化しないのは、必ずしも「遅れている」ためとは言えない。欧米が、中国の経済的発展が民主化を促すと考えて支援したとすれば、それもまた、欧米の歴史が普遍的であることを疑わない思い上がりであったと言える。

集団を纏めるには、人類の共感能力と暴力性と言う、相反する資質が作用する。暴力性は身体的なものに限らず、精神的な圧力も含まれる。集団が抱える条件によって、どちらかが強く現れて来るのかもしれない。民族集団の価値観を政治に実現するには、自ずからそのサイズに限界がある。広域支配には人為的な価値観の設定が必要で、商鞅の変法はその一つの実例であったと言える。多くの民族を擁する大帝国を治めるのに、商鞅の変法理論は、程度の差はあれ、どの時代にも有効だったのではないだろうか。

ＩＴ技術・ＡＩ技術を駆使した民衆の管理や、香港に於ける国家安全維持法の施行、ウイグル・モンゴル・チベットなど本来異なる文明圏に属していた地域でも国境の内部に取り込まれれば同化の強要を免れない現実は、商鞅の変法の有効性を確認させられるようで慄然《りつぜん》とする。自由を価値観とする国々がこれらの地域を襲う圧力を阻止できるかどうかが、この先の世界を方向づけることになるかもしれない。

東アジアの「戦争」は始まっている

柴山桂太

香港、台湾をめぐる米欧と中国との対立がますます深刻化している。東アジアは国内的にも国際的にも「戦争」に向かいつつあるが、それはグローバル化の必然的な帰結と考えなければならない。

東アジアの転換点

香港の弾圧は、後に振り返った時に、歴史の大きな転換点となる出来事だったと言われるようになるかもしれない。冷戦期から続いてきた東アジアの微妙な勢力均衡が、この出来事をきっかけに変わっていく可能性があるからだ。

一九八九年にベルリンの壁が崩壊し、東西冷戦の時代は終わりを迎えたというのが定説となっている。しかし、ベルリンの壁が象徴していたのはあくまで欧州の分断であった。東アジアでは「壁」が残り続けている。朝鮮半島を南北に分断する軍事境界線は、この三十年で一ミリも動いていない。中国本土と台湾の緊張関係は今も続き、沖縄の米軍基地もそのままだ。東アジアに住むわれわれにとって、「一九八九年」が持つ意味は欧州ほど大きくない。米ソの対立が米中の対立に変わっただけで、東アジアの地政学的対立はずっと残り続けているからだ。

中国政府の意向を受けた香港行政府の治安強化によって、抵抗運動は抑え込まれ、二〇二〇年六月には香港国家安全維持法が施行された。しかし、香港人のアイデンティティに目覚めた市民――その中心は中国返還後に生まれた若い世代だ――の主権意識が、それによって雲散霧消するとは考えにくい。

マスコミ報道では、香港の抗議運動は「法の支配」を守る戦いと表現されていた。だが、「香港！　香港！」と叫ぶデモ隊の若者たちを見ていると、この運動は香港というネイションの自治を求めるものと理解した方が良いように思われる。なるほど、民族的には大陸中国と香港に違いはないのかもしれないが、同じ民族だからといって同じ国民意識を共有するとは限らない。一五〇年続いたイギリスの統治時代に、香港では独自の文化が形成された。数多のナショナリズム研究が示すように、民族の境界線と国民の境界線は必ずしも一致するものではない――例えば同じドイツ語圏でもドイツとオーストリア、スイスの一部では異なる国民意識が形成されている。香港の抗議運動が示したのはネイション、すなわち「主権的なものとして想像される政治共同体」（B・アンダーソン）への帰属意識が、若年層を中心に確立されつつあるという事実である。

香港だけではない。台湾でも、やはり若者を中心に独立派を支援する動きが強まっている。こちらも香港と同様、中国政府が掲げる「一国二制度」という曖昧なフィクションに、重大な挑戦が突きつけられているのは明らかである。当然、分離主義的な動きを中国政府が座視することはない。また、米中対立が本格化する中で、アメリカが台湾の肩を持つのは、勢力均衡の力学から言って避けがたい成り行きである。今後、「中国の夢」を掲げて地理的な影響力を拡大しようとする中国と、既存の勢力圏を維持しようとするアメリカが、東アジアの「資本主義群島」でぶつかり合うことは不可避であろう。

経済的合理性だけでは説明できない

近年になってますますはっきりしてきたのは、グローバル化は国家間の対立を抑制するどころか、むしろ国家間の新たな対立を助長するという事実である。

専門家の中には、グローバル化による経済的な相互依存が戦争を抑止するという考え方を支持する者が少なくない。この理論に従うなら、貿易によって緊密に結びついた国同士は、外交問題を戦争によって解決することはない。

戦争が始まれば双方の経済が打撃を受けることになるため、その選択だけは避けようとする誘因が働くというのが、その根拠である。

しかし歴史を振り返ると、貿易や資本移動によって緊密に結びついた国同士が戦争を始めた例は数多くある。十九世紀末から二十世紀初頭にかけて、イギリス、フランス、ドイツは貿易によって深く結びついていた（第一次グローバル化の時代）が、第一次大戦はこれらの国同士の戦争だった。第二次大戦も同様だ。戦前のドイツや日本は、イギリスやアメリカに貿易・金融面で深く依存していたが、それでも戦争は起きたのである。

ここから分かるのは、国家の行動は必ずしも経済的な合理性によって説明できない、ということだ。現行の国際秩序では自国の未来が開けないとなれば、経済的利益を犠牲にしてもその秩序を変更しようとする。

現代も同じである。香港デモが本格化して以後、香港の経済は大幅に落ち込んだ。観光客は減り、国際資本も逃避した。しかし、抗議運動は収まるどころか、ますます過激なものになった。抗議運動が過激化すれば香港はグローバル経済から（少なくとも一時的には）切り離される。しかし、それこそがデモ隊の狙いだったように見える。

香港デモを、西側諸国の一世代前の学生運動になぞらえる識者もいた。政治的要求を掲げる学生と治安権力のぶつかり合う光景は、確かに昔の学生運動と似ている。だが比較すべきは、先進国の過去と、ではなく現在とであるべきだ。欧州やアメリカで起きた一連の抗議運動——反EUや反グローバリズムの運動——との並列で捉えた方が良い。

例えばブレグジットである。EUを離脱すればイギリスのGDPは大幅に落ち込むと専門家が口々に警告していたにもかかわらず、有権者が選んだのはEUへの残留ではなく離脱だった。アメリカのトランプ選出も同様だ。保護貿易によって困るのはアメリカの企業であり消費者だというのが経済学者の共通見解だったが、それでもトランプは関税引き上げを実施した。統計を見ると、対中貿易制裁によって打撃を受けたのは中国以上にアメリカであった——アメリカの対中輸出の減少の方が、中国の対米輸出の減少幅よりも多い——が、それによってトランプ政権の態度が変わることはなかった。

ではなぜ、人々は日々の暮らしを犠牲にする可能性があっても、既存秩序の変更を目指す政治勢力を支持するのだろうか。

エリートに占有された政府

ブレグジットやトランプ選出が、グローバル経済の歪みに起因するのは間違いないところだろう。実際、この三十年の先進国で所得を伸ばす「勝ち組」になったのは、国際的な資本や知識の流れにアクセスできる一部の階層だけ。大多数の労働者は、厳しい競争を強いられているにもかかわらず、所得の停滞が続いている。それだけではない。グローバル化の進展によって、どの国でも政治は「勝ち組」の声のみを反映するようになった。政府は、グローバルに活動する企業や投資家が、さらに活躍できる余地を広げることに「国益」を見いだす。そうしなければ、他の政府との競争に負けてしまうからだ。

その意味でグローバル化の本質は、国家間競争というより「政府間競争」である。各国の政府は、資本や知識を自国に止め、また引き込むための政策競争を始める。言いかえれば「資本友好的」な政策（規制緩和、特区制度、法人税減税、労働市場の流動化……）を、他の政府と競い合うのだ。

もともと政府は、国内の多様な利害や意見を調整する役割を担っていた。しかしグローバル化が進むと、「政府間競争」が意識されるようになるため、競争力のある一部の産業や地域を、「国益」を増進させるものとして優先的に後押しする改革を進めるようになる。このとき、改革の邪魔になるのは議会だ。国際競争で劣位となった産業や地域は、政党や議会への働きかけを強めて、改革を押しとどめようとする。「資本友好的」な政策こそ「国益」に叶うと考える人々の目には、こうした勢力は変化に対して後ろ向きで、自分の利益しか頭にない抵抗勢力と映る。ゆえに、あらゆる方策を通じて、抵抗勢力を政治的な意志決定の場から排除しなければならない。政党や議会の力を削ぎ、行政を利益団体のしがらみから解放して、政府を純粋に「国益」を追求する機関へと変えていかなければならない、と考えるのだ。

こうした改革は、行政とグローバル資本の癒着を不可避に生み出す。熾烈な「政府間競争」を勝ち抜くには、資本や知識にアクセスできる上位層の協力が必要だからである。分かりやすい例が、自由貿易協定だ。それぞれの国が、競争力のある自国の産業を後押しすべく交渉に臨む。いわば「国益」同士の綱引きだ。ただし、何が「国益」であるかを決めるのは、それぞれの国のエリートである。

貿易協定交渉に大企業の意見は反映されるが、一般民衆の意見は反映されない。そもそも、交渉は非公開で行われる。公開すると交渉の途中でさまざまな横やりが入って合意が難しくなると考えるからだ。結果、どの国でも議会は貿易交渉で蚊帳の外に置かれる。民衆がその内容を知るのは、交渉が合意に至ってからだ。重要な決定を行うのは、財界の意向と密接に結びついた行政であって、議会はその決定をただ追認するだけの機関へと役割を切り詰められる。

かくして政治体制に重大な変更が生じる。グローバル時代の「国益」を踏まえて政策を決定する行政の力が強大化する反面、国民の多様な利害や意見を政策に反映させる回路は痩せ細っていく。行政や財界、学者やマスコミなどエリートの標準化された考えのみが政策に反映されていく一方、そうではない人々の声は政策論争から排除されてしまう。それどころか、狭い自己利益や現実離れした理想主義に囚われた政策素人の意見として、「国益」のために行動するエリートの意見よりも劣位に位置づけられるようになる。それが過去三十年で進行した政治体制の変化である。

行政と財界が結びつき、モノ・カネ・ヒトの国境を越えた移動を後押しする政策を次々に実施する。知識人やマスコミはグローバル化を歴史の後戻りできない過程として描き出す。経済学者は市場競争には敗者がつきものだと言い、一部の「勝ち組」が高い報酬をもらうことを正当化しつつ、「負け組」はもっと自己改革に励むべきだと社会の分断を煽る言説を振りまく。従来は社会的弱者の味方であったリベラル派の知識人も、移民や同性愛者などマイノリティの権利を守ることばかりに熱心で、苦境にあえいでいる労働者や地方民の声に寄り添おうとしない。その結果、経済的にも政治的にも大きな分断が見られるようになった。政府は、「エニウェア族」(D・グッドハート)によって占有されてしまったのである。欧州やアメリカだけに限った話ではない。グローバル化が進んだ現在では、世界中の至る所で起きている事態である。

寡頭政への反逆

米中対立は近年、自由民主主義と権威主義の対立と捉えられるようになった。表面的に見れば、確かにその通りである。アメリカやその同盟国が、普通選挙や言論の自由を政治体制の柱としているのに対して、中国は一党独裁体制と厳しい言論統制を敷いている。冷戦終結後、資本主義への移行で経済的な自由は大幅に拡張されたが、政治的自由は認められていない。政治学者は、こうした体制を権威主義と呼ぶ。そして中国の「成功」で、権威主義を採用する国々が増えていることに警鐘を鳴らす。

私は、権威主義という言葉はミスリーディングだと考える。権威の存在なしには、どのような国家も成り立たない。自由民主主義の国でも、権威なしにはいかなる統治もできないはずである。中国のような政治体制は、古い政治学の分類では「寡頭政」と呼ばれていた。一者が支配する「独裁政」、多数者が支配する「民主政」と違い、「寡頭政」はごく一握りの少数者が政治を差配する。一般に言われる自由民主主義と権威主義の対立は、「民主政」と「寡頭政」の対立と呼んだ方が、事態を正確に表していると言える。

問題は、現代の自由民主主義国が、グローバル化が進行する中で次第に「寡頭政」へと近づいているということだ。一部のエリートが、政治的な決定の大部分を握っている。もちろん、中国の一党独裁とは違い、これらの国々には選挙も言論の自由もある。エリートの世界に入るための道も多方面に開かれている。だが、民衆の幅広い考え方を政治に反映させるという意味での「民主政」は、グローバル化による政府間競争が熾烈になる中で、次第に形骸化していると言わざるを得ない。

典型はEUである。民主主義国が集まって形成されたEUは、ブリュッセルに集まった官僚が全体の政策を決める反面、各国の民意をEU全体の行政に反映させる回路はほとんど閉じたままだ。資金力や発言力のある業界団体がロビイストを使って行政に働きかける回路は大きくなる一方だが、EU全体での民主主義はいまだ実現されていない。この体制を表現するのに、「寡頭政」という言葉はぴったりである。

したがって、現在の米欧と中露の対立は、自由民主主義と権威主義の対立というより、二つの「寡頭政」の対立と捉えた方が実態に近い。なるほど、米欧は、中国に比べればはるかにリベラルだ。しかし、どちらの体制も行政権力が強大化し、その権力と資本が緊密に結びついている。大多数の人々は、重要な政治的決定からは排除されている。西側諸国の民衆は、権利上は自分たちの声を政治に届けることができる。しかし、事実上は、その能力を何重にも封じられている。政治の決定権を占有するエリートと、協力する知識人やマスコミが、公共的な政策論争の余地を極端に狭めているからだ。グローバル化が進行する中で、自由民主主義（リベラルデモクラシー）は、リベラルな寡頭制（リベラルオリガーキー）へと変貌してしまったのである。

ポピュリズムと呼ばれる最近の政治現象は、こうした事態への反動と理解してよい。政治は一部の専門家やエリート層の声のみを反映するようになった。ポピュリズムは、こうした寡頭的な政治への民衆の反発が引き起こす現象である。もちろん、ポピュリズムは一枚岩ではない。右派はグローバル化による国家主権やアイデンティティの喪失を問題視し、左派は政府と資本の癒着を問題視する。この二つは水と油の関係にあるが、現在の政治体制が寡頭政に向かいつつあるという現状認識は共通している。そして政治を、民衆の手に取り戻さなければならない、と主張する点でも一致している。寡頭政への反発という意味では、右派も左派も同じ根を持っているのだ。

香港デモも、そのような文脈で理解するべきだろう。香港でも一握りの財閥（四大財閥）が、経済の主導権を握っている。グローバル化によって世界中の資金が香港に流れ込み、不動産価格は高騰を続けたが、その恩恵を受けたのは一部の階層のみだ。実際、香港のジニ係数（所得の不平等度を測る代表的な指標）は〇・五四と、先進国でも最悪の水準だった。この三十年で上位層の所得は大幅に伸びたが、貧困世帯の所得はほぼ変化がない。そして行政は、中国政府や中国資本の意向をますます反映したものへと変化した。主権意識に目覚めた若者たちが、政治経済のこうした変化（中華グローバリズム）に反発を強めたのは当然の成り行きであろう。台湾もまた、香港と同様の構図にあると理解して良い。欧米ではポピュリズムと呼ばれる運動が、東アジアでは民主化やナショナリズムの運動として現れている。そのように考えることができるだろう。

なぜ人々は、経済的な苦境に立たされるのを覚悟の上で、既存の秩序に反旗を翻そうとするのかの答えもここにある。イギリスやアメリカでは年長世代が、香港では若年層が抗議運動の主体となっているが、その違いは本質的なものではない。真に注目すべきは、グローバル化によって「寡頭政」への傾斜が強まっていること、その反発がどの国でも民主的なエネルギーを伴って爆発しつつあるということでなければならない。

グローバル化と自由民主主義は相容れない

冷戦終結後、自由民主主義は普遍的な政治体制だと言われ、今は独裁政を取る国も、グローバル経済へと編入される過程で、いずれは民主政へと転換するはずだと考えられてきた。ところが、ベルリンの壁崩壊から三十年後の今日、明らかになりつつあるのは、グローバル化への適応は民主政よりも寡頭政の方が向いているという厳然たる事実である。表向きは民主政の国でも、現実にはグローバル化に向けた改革を進める過程で民衆が政治にアクセスする回路を狭め、「トップダウン」での意志決定を進めざるを得ない。モデルは企業だ。企業経営者は、従業員の声をいちいち意志決定に反映させることなどしない。企業は、寡頭政（ないしは独裁政）を特徴とする経済の装置である。資本主義が全面化した時代には、国家が企業を模倣するようになる。一握りのエリートが内輪の論理を振りかざして、政治の意思決定を占有するようになるのだ。

寡頭政への反発から始まったポピュリズムが、アメリカのトランプ体制がそうであったように、別の寡頭政へと行き着くのは皮肉なことと言わざるを得ない。だが、今はその話は措こう。重要なのは、グローバル化は寡頭政をほぼ不可避に招き寄せるということだ。言いかえれば、グローバル化は自由民主主義の基礎を掘り崩してしまうのである。

もともと自由民主主義は、内部に深刻な矛盾をはらんでいる。自由主義と民主主義は、歴史的に見て決して相性の良い組み合わせではない。その二つが共存し得たのは、「国民（ネイション）」が強力な接着剤となった時代に限られる。

自由主義は、思想信条の自由や経済活動の自由を、個人の権利として保障しなければならないという考え方だ。根底にあるのは政府への根深い不信である。歴史を振り返ると、公権力はさまざまな理由で人々の自由や権利を蹂躙してきた。それゆえ自由主義者は、公権力の行使には厳しい制限が課されなければならないと考える。「法の支配」や「普遍的人権」は、こうした考え方を背景に歴史の表舞台に登場した。

一方、民主主義は公権力を誰が行使すべきか、という問いへの一つの答えである。公権力は「一人」でも「少数者」でもなく、「多数者」の意志と責任において行使されなければならない。自由主義者が公権力の制限を主張するが、民主主義者はそうは考えない。多数が支持するものであれば、公権力の活動に制限は不要である。民主主義者にとって重要なのは、民衆の意志（「一般意志」）を政治に反映させることであって、少数者の権利を金科玉条として守ることではない。極端な話、多数の同意が得られるのなら、政府は個々人の権利を著しく制約する命令を下すことも出来ると考える。

それゆえ自由主義の文脈では、民主主義はしばしば警戒の対象となってきた。専制政府だけでなく、民主政府も人々の自由や権利を侵害する可能性があるからである。一方、民主主義の理論家は、自由主義者が政府の役割を狭く捉えようとすることに不平を鳴らし続けてきた。政府には多数の人々の生活を改善するなどの、さまざまな公共目的を達成する力があるというのに、自由主義者はその手足をきつく縛ろうとしている、というわけである。

今はこの二つの思想的系譜を丹念に掘り下げる余裕はない。ここでは、自由主義と民主主義が、全く異なる出発点から理論的な展開を遂げてきたという事実を確認すれば十分である。実際、自由主義にとって民主主義は必要不可欠ではない。個々人の自由と最低限の権利が保証されるなら、非民主主義体制でも構わないと考える——前世紀を代表する自由主義者のハイエクが民主主義を「部族社会の情念」と呼んで批判したことや、フリードマンがチリの軍事独裁体制下での経済成長を「チリの奇跡」と称賛したことは、今日、よく知られている。

反対に、民主主義は非自由主義と容易に結びつく。ロシアや東欧、また最近では南米の国々に見られるように、民主的な選挙で選ばれた政権が、反対勢力を弾圧する政策を行うことも往々にしてある。世界には自由（リベラル）な非民主主義体制もあれば、非自由（イリベラル）な民主主義体制もあるのだ。

もちろん、自由主義と民主主義が共存できないというわけではない。公権力に一定の制限が課されるべきだとする自由主義と、政府が多数者の支持によって運営されるべきだという民主主義は、「国民」を媒介して結合しうる。自由主義者は、国民全体の利益になる政策であれば、自由や権利への一定の制約を受け入れるだろう。民主主義者も、同じ国民であれば少数者の権利を守ることに同意するはずである。第二次大戦以後、自由主義と民主主義はこのようにして手を結んだ。「国民」の連帯を上位の規範として受け入れることで、両者の衝突は中和されたのである。

だが、これまで述べてきたように、グローバル化は両者の対立に再び火をつけてしまった。モノ・カネ・ヒトの「自由」な移動や、それぞれの経済主体において保証されるべき「権利」を守ろうとする自由主義の理想は、グローバル化の時代には文字通り国境を越えて追求される。理想を達成する上で、障害となるのが民主主義だ。というのも民主主義は、国内の多様な利害や意見を政治に反映させようとする過程で、企業活動の自由や市場競争の結果への政府介入を助長するおそれがあるからである。この弊害を除くには、政府を民衆と隔絶しなければならない。リベラルな価値観を共有するテクノクラート――高度な知識を備えた専門家集団――による寡頭政の方が、圧力団体のしがらみで身動きが取れなくなった民主政よりもはるかに望ましい。

過去三十年で猛威を振るった「新自由主義」とはそのような考え方だ。それは、国民／ネイションへの埋め込みを解かれた自由主義の別名である。

だが、繰り返しになるが、そこでの自由はあくまで、国際的な資本の流れにアクセスできる人々にとっての自由でしかない。グローバル化による恩恵を感じることができない層は、政治がエリート層によって寡占化されている事実を問題視し、民主主義の精神が失われたと不満を募らせる。実際、ポピュリスト政治家は、「真の民主主義」を取り戻さなければならないと訴えて支持を拡大している。その動きが過激なものにならざるを得ないのは、穏健な主張ではエリートによる公権力の占有を、変えることができないからだ。内輪の専門家集団によって公権力が支配される体制が強まれば強まるほど、それに反発するポピュリズムや民主化の動きも強烈なものになる――中国のように最初から寡頭政を取っている国ではこの動きは目立たないが、民主政の看板を掲げている国や、香港のように政治的自由が文化として定着した地域では、寡頭政に対する反発が大きくならざるを得ないのだ。

ナルシズムに陥る日本

世界各地の抵抗運動は、今後、高まることはあっても収まることはないだろう。政府は一部の特権的な集団によって占有されており、真に民主的なものとなっていない。こうした下からの挑戦は、アメリカでもEUでも、ますます強力になることが予想される。このことが、現在の地政学的な対立に与える影響は甚大だ。香港以外にも台湾でも、そしておそらく韓国でも、現状の体制を維持しようとする政府への抗議運動が続くはずである。

アメリカはますます「内向き」になろうとしている。というのも、国内世論が分裂している現状では、右派と左派のどちらが指導者になろうと、国内の反対勢力が盛り上がることになるからだ。「公共の敵」は外国ではなく国内にいる。そのような混乱状況で、長期的な展望に基づく外交が行えるはずもない。アメリカは国民国家というより帝国国家だが、イラク戦争の失敗とトランプの登場で、今や帝国を維持する能力、というより気力を失いつつあるように見える。バイデン政権になっても、基本的な構図に大きな変化はない。

一方の中国は、これからますます「外向き」になるはずである。経済成長が鈍化し、家計や企業、地方政府の負債が膨れ上がるなど、中国経済の前途は多難だ。しかし一方で、中国のナショナリズムは日に日に高まりつつある。中国の発展を邪魔する「公共の敵」は、アメリカを中心とした西側諸国である。特にアメリカは貿易制裁を課すだけでなく、香港や台湾の独立を支援して、「中国の夢」を邪魔立てしようとしている。そのような不満は、政府だけでなく民間でも盛んに語られているようだ。

中国のナショナリズムはよく「公定ナショナリズム」(政府による上からのナショナリズム)だと言われるが、B・アンダーソンが『想像の共同体』で指摘しているように、公定ナショナリズムは先行する「民衆ナショナリズム」(下からのナショナリズム)なしには決して力強いものとならない。このことを踏まえると、中国の党＝政府がいつも民衆をコントロールできると考えるのは間違いだ。むしろ民衆ナショナリズムの盛り上がりに、党＝政府が振り回されるというシナリオの方が現実的である。

アメリカが「内向き」になって国内の問題にばかり注力するようになり、中国が「外向き」となって近隣諸国との摩擦を大きくしていく。二つの勢力がぶつかり合う東アジアは、こうした動きによってこれから翻弄されることになるだろう。特に香港、台湾問題への両国の対応は、今後の東アジア情勢を占う上で決定的な意味を持つはずである。

こうした問題は、日本にとって決して他人事ではない。しかし、例えば香港問題の対応一つをとっても、日本の政府や世論の反応は驚くほど鈍い。火の粉がこちらに降りかかってこない限り、近隣諸国に主体的に関わることはない。これが、主権をアメリカに預けてしまった国家の末路なのだろう。

その日本で、危険なナショナリズムが復活しつつあるなどというのは悪い冗談である。外国人が日本の文化や技術を褒めてくれる、われわれのおもてなし文化は世界に誇れる、などという類のテレビ番組が増えているのを見ると、日本はナショナリズムというより「ナルシズム」に陥っているのではないかとさえ思えてくる。水面に映る自分の姿をうっとりと見つめるナルキッソスのように、日本人も外国人（他者）の目に映る自分の姿ばかりを気にして、それを現実の姿と取り違えている。ちなみにギリシャ神話のナルキッソスは、水面に映る自分の姿から離れることができなくなり、やがて痩せ細って死んだという。それは、現実から目を背け、想像の世界に逃げ込んだ者たちを待ち受ける、ほとんど必然的な結末である。

（『表現者クライテリオン』二〇二〇年一月号初出。再録にあたり字句を修正した。）

第4部 現代中国の「想像力」を読む

［文学座談会］

劉慈欣『三体』をめぐって

富岡幸一郎
藤井 聡
柴山桂太
浜崎洋介
川端祐一郎

オバマ前アメリカ大統領や、
フェイスブックCEOザッカーバーグまでが評価したというSF小説『三体』。
中国国内でシリーズ二一〇〇万部、世界でも八〇〇万部を売り上げたといわれる
この現代中国を代表するSF小説をどう評価すべきか。
「中国化する世界」を背景に、ますます膨張していく
「中華帝国」の背後にある政治的、未来的「想像力」を問う。

劉慈欣『三体』の爆発的売れ行きと、中国人の未来的想像力

浜崎▼「中華未来主義」を標榜するメディア・アーチストのローレンス・レックは、「中華未来主義は……すでに現実に存在しているサイエンス・フィクションなのだ」と言ったといいますが、今、中国人が、自分たちの技術的な「未来」についてどのように想像しているのか。この小説は、日本では二〇一九年七月に翻訳されたばかりなんですが、中国のＳＦ専門誌『科幻世界』に登場したのは二〇〇六年五月～十二月で、習近平体制以前のことになります。発表後、すぐに第十九回中国銀河賞特別賞を受賞した『三体』は、二〇〇八年に単行本が出ると、そこから徐々に人気に火がつき始め、現在、『三体』三部作（『三体』『黒暗森林』『死神永生』）の総売り上げは二一〇〇万部に達したといわれます。その後、二〇一四年に英訳版が出ると、これも一〇〇万部以上を売り上げ、二〇一五年には、

アジア圏の作品としても、また翻訳小説としても初めて、SFの世界的な賞である「ヒューゴー賞」を受賞し、全世界で八〇〇万部以上を売り上げたとのことです。

　さらに、この『三体』の人気を神話的にしたのが、あのバラク・オバマ前アメリカ大統領や、マーク・ザッカーバーグや、ジェームズ・キャメロン監督などが愛読しているといったニュースでした。

　つまり、この『三体』という小説は、「中国の力」を、まさに文学の世界において見せつけた作品だといえるわけですが、その後も、劉慈欣の「流転の地球」がネットフリックスで映画化されたり、『三体』のドラマ化がアマゾンで企画されたりと、話題には事欠きません。

　また、加えて、一九六三年生まれの劉慈欣の人生自体が、中国の爆発的な成長と共にあったことは留意しておくべきでしょう。中国が市場経済に舵を切った「改革開放」が始まる一九七八年に十五歳だった劉慈欣は、その後、発電所のコンピューター管理のエンジニアとして働きながら小説を書くことになるのですが、それもあって、彼の小説は、「改革開放」以前の記憶を残しつつも、急成長していく中国社会全体の「想像力」を背景としているといえます。

　『三体』監修者の立原透耶氏によれば、『三体』が「ヒューゴー賞」を獲って以降、中国国家はSFを国家戦略の一つとして位置づけ、「中国文化を世界に知らしめる」手段として大いに支持するようになり、劉慈欣自身も——おそらく、肩書だけでしょうが——、次々に国家の重要ポストにつき、中国投資ファンドのIDG資本などは、彼を「首席暢想官」（SF領域にまたがって未来志向の開発に協力する役割）に招聘《しょうへい》したといわれます。

『三体』の「あらすじ」——文化大革命から宇宙人へ

浜崎▼本来、SF小説と推理小説はネタバレ厳禁なのですが、ここは仕方がありません。以下、少し長くなりますが、「あらすじ」を紹介しておきましょう。

　物理学者の父を文化大革命（文革）で惨殺され、人類に絶望した中国人女性科学者・葉文潔は、政府の下放政策で中国北部の僻地《へきち》に飛ばされる。そこで読んだレイチェル・カーソンの『沈黙の春』が原因で、政治的な危機に追い込まれるが、天体物理学の専門知識を必要としていた秘密計画のために、巨大パラボラアンテナを備える軍事基地にスカウトされる。

　それから四十年後。今度は、ナノテク素材の研究者・汪淼が、軍の会議に招集され、世界的な科学者が次々に自殺している事実を告げられる。その陰に見え隠れする学術団体〈科学フロンティア〉への潜入を依頼されるが、その直後から、彼が撮った写真や、網膜に〈カウントダウン〉が表示されるという怪現象が現れる。しかし、「ナノテク研究をやめろ」

と言う〈科学フロンティア〉に所属する女性研究者の言葉に従った瞬間、怪現象は収まる。不審に思った汪淼は、その女性研究者がプレイしていたVRゲーム「三体」に参加することになる。

ゲーム世界は、三つの恒星の間に存在する惑星世界で、太陽が規則的に現れる「恒紀」と、不規則に現れる「乱紀」とを繰り返していた。極寒と灼熱が入り乱れる「乱紀」が来る度に、ゲーム世界の文明は滅亡を繰り返していたが、それゆえにゲームは、「三体問題」の答え――つまり、数学的に解くことができないといわれている三つの恒星の軌道（「恒紀」と「乱紀」がどのように入れ替わるかの規則）――を解くことに全力を尽くすというものだった。

次第に、ゲームにのめり込んでいった汪淼は、その後、ゲームのオフ会や集会を通じて、ゲームの制作者が「地球三体協会」であることを知るが、そこで見たのは、なんと協会のリーダとなった葉文潔の姿だった。四十年前、極秘の通信計画に関わった葉文潔は、人類に対する絶望から、秘密裏に「地球を滅ぼして欲しい」というメッセージを宇宙に送っていたのだが、その信号の受信者こそ、あのVRゲーム「三体」によって描かれていた三体星人だったのである。

果たして、三体星人たちは、新たな入植先を見つけるべく四光年離れた地球へ出発することになるのだが、それと同時に、地球の科学的進歩を妨害するために「智子」（ソフォン）と呼ばれる二つの陽子（万能物質）を地球に送るのだった――これが原因で「ゴースト・カウントダウン」などの怪現象は起こっていた――。

一方、四百五十年後に宇宙人が地球に到着することを知った葉文潔率いる「地球三体協会」は、VRゲームを開発して密かに協会員を増やすと同時に、人類滅亡を夢見る「降臨派」と、異星文明を神のように崇める「救済派」、そして、何としてでも生き延びようとする「生存派」に分かれて派閥闘争を繰り広げるのだった。

かくして、汪淼の寄与によって、「地球三体協会」の真相と、三体星人襲来の事実を知った中国軍と世界連合軍は、来るべき宇宙戦争に備えることになるのだったが……。

というのが、内容となりますが、これは意見のある方からいきましょう（笑）。

「世界観」が狭いという感覚
――世間知らずな想像力

川端▼まず最初に率直な感想からいうと、テーマは壮大なんですが、読んでいる印象としては、世界観がすごく狭いように感じました。登場人物からみて半径十メートルくらいの空間の話がずっと続いていくような、そういう印象です。

たとえば、作品中で何度も「人類」という言葉が出てくるんですが、全然「人類」のイメージが湧かない（笑）。何故だろうかと考えると、おそらくこういうことではないか。たとえば「三体協会」の綱領が、「人類社会はもはや自分の力では問題を解決することができない」とか、人類はもう自らの狂気を律することができないので、「外的な力によって人類社会を強制的に監督し、矯正しなければならない」とか言うんですが、この小説では「人類の危機」っていうのが具体的にどういう形で生じているのかの描写が一切ないんですね。

　レイチェル・カーソンを持ち出して環境問題を取り上げてはいますが、「環境が汚染されて大変だ」と思わせる状況描写はほぼないし、人類の狂気といっても、たとえば戦争が収まらないというような場面は出てこない。要するに「人類の危機」というところから物語が出発しているはずなのに、「人類の危機」に関する想像力が乏しいんです。

　この作家が悪いのか、SFという形式が悪いのか、もしくは中国の政治体制が悪いのかは分からないですが、読んでいて「本当は人類の危機に興味なんかないんじゃないの」という気がしてくる。仮にこれが中国最高のSFなのだとすると、中国というのは超大国である割に世界観や想像力には案外広がりがなく、一種のナイーブさというか、世間知らずみたいなところがあって、それがかなり出ているんじゃないかよという気がしました。

　文革の時の政治的迫害や闘争の描写があって、その裏では科学者たちの隠謀が動き始めており、宇宙人と手を結んで体制転覆を試みる。この設定だけみれば、そこから面白い話がいくらでも描けそうなものなのに、そうならないというのは、これは中国あるいはこの作家の世間知らず感、田舎者感の産物ではないかというのが、まず大まかな印象です。

現代人の潜在的な「不安」
——環境問題・ウィルス・宇宙人

柴山▼僕の感想をいうと、前半の最初の文革の描写はなかなかいいんですよね。それから、網膜に数字が映るっていう謎で引っ張る展開も、まあいいかと……。それが、ゲームの話になってから急に読む気力がなくなってきて、宇宙人が出てきたあたりからは、もう全く……情報が入ってこない（笑）。

　あえて文学的に評価しようと思えば、インテリの「ろくでもなさ」を描いている小説といえなくもない。文革というのは、要するに、革命とか社会主義の理想に盛り上がった学生が物理学者を殺したりするような、ひどい事件だったわけです。そして、父親が殺されたことを恨みに思った娘が、レイチェル・カーソンとかに影響されて「地球環境を破壊した人類は救済不可能」と思い込んで、動物の権利を守ろうという外国人と組んで人類を滅ぼすんですよね……。勝手に宇宙人を呼ぶなって感じはするんだけど（笑）。

　進歩派の知識人たちの持っている「ろくでもなさ」みたいなものがテーマとし

てあるのかなと。この小説の隠れた主人公は、「サムウェアズ」感丸出しの史強という刑事。この人が、最後にいいこと言いますよね。宇宙人が地球人を「虫けら」扱いして襲ってくるかもしれないという時に、言うんですよね、〈イナゴを見てみろよ〉と、〈こいつらとおれたちの技術力の差は、おれたちと三体文明の技術力の差よりもずっと大きいのに、イナゴは滅びるどころか我が物顔でのさばっているじゃないか〉と。このあたりの台詞が、この小説で一番いいんですよ。虫けらは敗北したことがない、というところに最後は落着したかったのだとすると、この小説は頭でっかちなインテリの「ろくでもなさ」を描こうとした、意外に体制批判的な小説でもあるのかなというのが、若干の好意的な感想です（笑）。

一方で、やっぱり現代文明には潜在的な不安があるんでしょうね。環境問題も、背景には現代人の不安があると思うんですよ。豊かで満ち足りた生活をしている人たちが、「自分たちはいつか自然界に復讐されるんじゃないか」と恐れている。グレタさんなんかを持ち出して騒いでいるのも「エニウェアズ」ですね。その不安をＳＦの形式で表現すると、宇宙からの侵略とか、未知のウィルスの侵略とかになってくる。今のコロナ騒ぎもそれに近いところがあって、文明人はどこかで外部から侵略されて滅ぼされるかもしれない、という潜在的な恐怖心が刺激されているからだと思います。

こういう作品を新海誠やキャメロンなどの映像作家が読んで、「ビジュアルなイメージが湧いてくるぞ」と刺激されるのは分かるんだけれど、正直、文学というジャンルで読まされると、ちょっと厳しいですね。

テクノロジーの加速と言論統制
――「未来主義」の閉塞感

富岡▶柴山さんが、この小説のなかに今の中国の体制批判みたいなものがあると指摘されましたが、もう一つは、文革後の改革開放路線で、中国が経済的にも軍事的にも大国になって一種の巨大な帝国を目指しているなかで、そこに生きる人間のある種の息苦しさですね。テクノロジーとかＡＩによって加速していく中国のあり方と、一方で言論の自由が徹底的に検閲されているという状況との対比のなかで、精神的な閉塞感があって、それを外に出そうとすると、こういったＳＦのジャンルを選び取らざるを得なかったんだろうという感じはしました。

その点、今の中国に対するストレートな批判というよりは、そのなかに生きる実存としての個の絶望とか閉塞感が、バリエーションとして出ているんじゃないかと。

アーサー・Ｃ・クラークの『地球幼年期の終わり』という古典的な名作がありますが、あれなんかも、地球の上空にある日、大宇宙船団がやってくる。そして、その見えざる指導者「上帝」が船内から地球を間接支配して、人類に戦争の根絶を促す。しかし、やがて五十年後に「上帝」が姿を現すと、かつて人類が描いた悪魔の姿をしていた……という小説です。

ですから、この小説も、クラーク流に、最後に姿を現した「三体星人」は毛沢東だった……というふうに展開するのかなって、一瞬そんなことも思いましたけれど（笑）。

それは冗談としても、やっぱり文明の行き詰まりみたいなものを描こうとしているんでしょうね。たとえば「この世界の征服に手を貸してあげる。私たちの文明は自分の問題を自分で解決できない。だからあなたたちの力に介入してもらう必要がある」って、そういうセリフが出てきますが、少し親切に小説のアクチュアリティを拾っておくと、まさにそういう感覚が、今、中華文明のなかに渦巻いていると読むこともできるのかなと。

テクノロジーとサイエンスの未来は、やがてコンピューターが全てを把握していくだろうという見方については、たとえば、ユヴァル・ノア・ハラリの『サピエンス全史』や『ホモ・デウス』っていう本が売れているところにも表れている。もちろんハラリは批判的でそんなふうにはならないと言ってはいるんだけれど、今、この手のものが読まれるというのは、やっぱり文明の病理みたいなものを感じます。

「大味」であるということの共通点——中国とアメリカの感触

藤井▶読んだときに、なんとなく似たような感じのモノを読んだ気がして、それが一体何だったのかあれこれ考えました。そして思い至ったのが、当方の大学の専門の関係で昔、よく読んでいた「交通」についての中国人の学術論文とそっくりだなと。

実は「交通」というのは、人類の活動を支えるのに重要なインフラなので、学会の規模もかなり大きい。国際ジャーナルがいくつもあって、世界会議もある。一九九〇年代前後の頃は、イギリス人がやっぱりすごくて、アメリカ人がちょっと下品な研究もやりながら、それでも頑張っていて、それに日本人がついていくという感じだったんです。しかし、二〇〇〇年くらいから、中国の論文が増えてきた。たとえば、「トランスポーテーション・リサーチ・ボード」という世界で一番大きな交通学会がワシントンで毎年一月に開催されるんですが、当初は中国人はたまに見るかどうかだったのが、今や、過半数が中国人の研究者で占められている。

交通研究というと、味もそっけもないように思われるかもしれないですが、やはりそこにも思想や物語がある。イギリス人の論文というのは哲学的な含みがあったり、数理的な議論でも、何かそこには思想的な深みや味があってなかなか趣深い。それと比べると、アメリカ人の研究は大味なところがあるんですが、そのアメリカっぽさをさらに濃厚圧縮したような味もしゃしゃりもない研究論文を、今、中国人は大量生産している。日本人の美意識はまだ幾分残っているので、そういう論文はあまり書かないんですが、中国人はメチャクチャ「浅い」ものを書く。要するに、「論文を書いてジャーナルに載せる」ということだけを目的にした、何の役にも立たない論文を量産している。それを読んでしまったら、「砂を噛んだ後」の嫌な感触しか残らない。実は、『三体』の読後感もそれにそっくりなんですよ。

　でも、そこが「暗黒啓蒙」だとか、「中華未来主義」だとかの謎を解くカギになるだろうなと思ったんですね。つまり、彼らの世界観はうんざりするくらいに単純なのではないかと。

　たとえば、「文革時代にはこんな不条理なことがあった」と、過去の中国を珍しいものでも見せるようにして描いておいて、その後に「文革の時代は、もう今の私たちと違う」と、戦前の日本を今の日本人が否定するかのような単純な世界観で描いている。それで今や中国人も、アメリカ人やヨーロッパ人と肩を組みながら「昔はこんな（文革）だったけど、今は違うんだよ。今は科学をやっていて凄いんだから」って言っている感じになっていて（笑）、欧米人が抱く「中国の不気味さ」を忖度して、「欧米人にとって了解可能なもの」だという格好で描いていくと。

　でも、その了解可能性とは、「人類文明そのものの欠陥がもたらした疎外」に対立しようとしているのが「降臨派」で、「より高度な文明への憧れ」を持っているのが「救済派」、そして、「子孫たちを生存させようとする強烈な本能的欲望」を担っているのが「生存派」という、かなり陳腐な勢力図式を使って描くことで、保障されている。実際、こういうのを今のアメリカ人とかは喜ぶのですが、本当にバカバカしい。

「統制」とその「外部」というパターン
——現代中国人の想像力

浜崎▼なるほど、「そんな過去は、もう俺たちとは関係ないんだ」という自己証明のように書かれている、というのは僕も感じましたね。ただ、それも、中国人の想像力をどうにか汲み取ってやろうと思ったときに、初めて出てくるような「読み」ではあります。というのも、それほどに、この「小説」は全く読めないんですよ（笑）。

　だって、まず何のリアリティもないでしょ。汪淼が、いきなり軍に呼ばれて仕事を引き受けるのも不自然だし、「乱紀」と「恒紀」が入り乱れるメチャクチャな環境になぜ「生命」が存在するのかが分からないし、葉文潔の「絶望」が描けていないから、何で彼女が「地球滅亡」に執着しているのかが分からない。だって、彼女は文革の後に娘を産んで、しかも、地元の住民に助けられて娘を育てているんですよ。

柴山▼しかも、一人娘が死んで心境の変化でも起きるのかと思ったら、何も起こらない。

浜崎▼そうなんですよ。仕方ないので、現代中国人の政治的想像力として比喩的に読み込むしかないなと思うんですが、そうすると、ようやく少し「読む」ことができるのかなと。

　それでいうと、やっぱり「文化大革命」から始まっているのがポイントですね。文革を通じて世界と人間に絶望し、そこから政治の「外部」を志向しながら、より進歩した宇宙文明を引き寄せようとしたのが葉文潔なら、これは「文化大革命」を潜り抜けた鄧小平が、政治から経済へ、つまり「改革開放」へ向かっていったのと重なっている。そして、その進歩した文明によって古き中国を否定し、「未来主義」的なものを引き寄せていくのだと。

　ただ皮肉なのは、ここで葉文潔（＝鄧小平）がつくった三体協会（＝改革開放）というのが、結局、「デジタル権威主義」的な体制になっていく点です。VRゲームのアーキテクチャによって、人々を三体協会へと誘導するなどは、まさに、今、中国が推し進めている「信用スコア」による人民管理（スコア管理で賞罰を与えるシステム）の想像力だし、三体惑星の巨大な監視システムも、中国共産主義青年団一〇〇〇万人のネット監視ボランティアを彷彿《ほうふつ》させます。それから、「ソフォン」と呼ばれる陽子による干渉などは新疆ウイグル自治区の話を思い出しましたよ。中国共産党は「民生向上」を言い訳に、スマホにスパイウェアアプリのインストールを義務付けて、それで家族構成、車、銀行口座、外国への渡航歴、友人関係、信仰、生体情報なんかを全部管理しているという。つまり、中国人が「政治」を描くと、どうしても、「暗黒啓蒙」的な独裁権力の方に辿り着いてしまうんですね。

　興味深いのは、『三体』の続編である『暗黒森林』の「あらすじ」をネットで確認したら、これまた「管理」が主題となっている。続編では、三体星人が地球に襲来するらしいんですが、三体星人は、なんと陽子（ソフォン）を使って、地球上のありとあらゆる事象、機密の会話も、科学技術の進歩も監視できることになっているらしい。ただし、唯一監視できないのが人間の「思考」なんですね。それで「思考」する人間を四人選んで、その四人を中心に三体星人と戦うらしいんですが、ということは、そこでまた巨大な「監視統制機構」と「その外部」という対立が反復されているわけです。この、必ず「統制機関」が出てくるあたり、もしかすると、中国人の政治的想像力の在り方を示しているのかもしれないなぁと。

「新全体主義」のなかの文学
――メタファーとしてのSF

して、いろいろと読み換えられますね。

川端▼確かにこの作品は、メタファーとして、いろいろと読み換えられますね。

たとえば、地球は放っておけば加速度的に成長するから三体人にとって脅威なので、外側から「そのまま発展を続けたら君たちは失敗するぞ」と三体星人が脅すという構造は、「中国」の発展に文句をつけてブレーキをかけようとする「西側」の比喩のようにも読める。作品中ではレイチェル・カーソンの『沈黙の春』をまさにそういう感じで捉えていて、「テクノロジーの時代はもう終わり。地球環境の危機だから、開発はもう止めときなさいよ」みたいなメッセージが「西側」から来るけど、それに騙《だま》されるなというわけです。ただこの小説、メタファーで読み解こうとしても、僕はいまいち対応が見えなかった。地球人と三体人のどちらが中国の立場なのかとか考えたんですが、一貫していなくて分かりにくいんですよ。

以前、『新全体主義の思想史』という、中国の現代思想をいろいろとレビューした本をパラパラ読んだんですが、著者の張博樹（コロンビア大学）が言うには、「中国の知識人というのは、言論統制で言いたいことを言わないというよりも、むしろ、抑圧があまりにも続きすぎた結果、そのなかでどっちにもとれるように表現する技術を芸術レベルにまで発展させた」ということらしいんです

（笑）。だからこの劉慈欣も、実は言ったいことはいくつかあるんだけれど、直接言うのを避けているのかもしれないなと。頭をひねりながら読めば、一応いろいろな含意を引き出すことのできるパーツを提供しているような気はする。

ただやっぱり不満なのは、後半で宇宙人とかゲームの話が出てくるにつれてどんどん物語が雑になっていく。作者は現代中国の御用作家のような立場だということで、中国政府としてはSFで中国の魅力を発信したいのかもしれないけれど、中国人が人類に対して貢献するなら、彼らが語るべきは、未来ではなく「歴史」であるはずなんです。中華文明の歩んできた道から人類が学ぶべきことはたくさんある。途中、中国を訪問したアインシュタインが労働者の賃金水準を聞いて立ちすくみ、タバコを吸い終わるまで動けなかったというシーンが出てきますが、ああいう場面をもっと描いてほしい。でも、中国の現体制からすると、やっぱり「歴史」を描くのはご法度なんでしょうね。

富岡▼中国は、特に習近平体制になってからいろいろ統制の厳しい全体主義になってきた。この作品は、その前くらいですかね。ただやっぱり中国の監視体制が加速度的になってきてからは、浜崎さんがおっしゃったようにメタファーで書いていくしかない。

それ以前だと、人間の描き方としては、恋愛とかセックスとか、なかには発

禁になるものもあったんですが、そういうのはかなり現代中国でもギリギリまで書けるようになっていたんですよ。衛慧の『上海ベイビー』とかね。ただやっぱり、体制批判として、特に文革を含む体制批判を書いたものはなかったと思います。そういう意味では、まさにメタファーでしか語れないという部分の作品が出てくるってのは理解はできますよね。

『三体』と「加速主義」(1)
——習近平以前と以後

浜崎▼習近平以前と以後で何が決定的に違うかというと、「ネット検閲」らしいですね。習近平体制以前は、たとえばネットで炎上すると、それに対して中央の政治家が対処しなければならないような空気ができて、彼らが現場に出向いたというような話もある。

　その意味でいうと、『三体』が書かれたのが、ネットがかろうじて希望たりえた時期だったことは重要かもしれません。現実に政治闘争をやると、文革とか天安門になってしまうから、IT技術や、SNSを使って中央の「政治」を突破する、あるいは、理想の未来を描くことが可能な時代だったということです。実際、小説のなかでも、若者たちが〈現実なんてウンザリだ〉、〈VR世界の方がいい〉と言いながらゲームの世界に入っていくでしょ。それこそ、「脱政治」を掲げる「中華未来主義的」なマインドだといってもいいですよね。

川端▼確かにこの小説は、「中華未来主義」や「加速主義」と関連づけて読めるところがある。中国国内でも、文革や天安門事件については、共産党体制そのものを否定しない限りでは、ある程度は批判していいらしいんですね、「あれはさすがにやりすぎだ」と(笑)。実際、鄧小平以降の政治は、天安門事件の原罪を覆い隠すようにして、「まあ市場化と経済成長は許してやる」という感じで、そっちに国民の目を向けさせていくものだったわけです。そこに「加速主義」というキーワードを結びつけると、確かに最近の中国の動向に一致するところがある。

　『現代思想』の翻訳を読んだ程度の理解ですが、どうも加速主義にもいくつか流派があるらしく、一番やばいアナーキストがニック・ランドで、「民主主義も自由主義も俺は信じることができない。テクノロジーを極限まで進化させて突っ切れば、既成の社会秩序が崩壊して何かが起きるはずだ」という単なる破壊願望。それに対して、もう少し穏健な加速主義者がニック・スルニチェクという人で、「左翼の運動も、ラディカルさを持つためには、テクノロジーの果実をもっと上手く利用した方がいい」程度の感じですね。これは「降臨派」と「救済派」みたいな差異です。あと、先ほど浜崎さんが指摘されたように、葉文潔が新たな独裁者になっていくというのも示唆的です。加速主義者はいわゆる「民主主義」には否定的で、テクノロジーで武装した一種の賢人政治、つまり強いリーダーを理想視するところがある。だからニック・ランドの『暗黒啓蒙』や加速主義は、トランプ支持にも影響を与えているらしい。そういう構造を上手くトレースした作品として読むことはできますね。

『三体』と「加速主義」(2)
——その黙示録主義

浜崎▼それでいうと、地球三体協会の資金提供者にマイク・エヴァンスっていうアメリカ人が出てくるでしょ。地球に害のある人類は滅んだ方がいいとか言う環境主義者。

富岡▼あの多国籍石油企業の御曹司ですね。

浜崎▼この人なんて、ほとんど新反動主義者のピーター・ティール（「ペイパル・マフィア」の「ドン」と呼ばれるペイパルの創業者）でしょう。理念的指導者の葉文潔は、さながらニック・ランドですか。で、降臨派のイデオロギストで、政治的オルガナイザーの藩寒という人物が出てきますが、これなんかは、「新官房学」（主権独裁）を唱えているカーティス・ヤーヴィンですよ。地球三体協会のメンバーは、みな黙示録的世界観の持ち主ですが、それが「中華未来主義」や「加速主義」の現実否定的なオブセッションに重なっている。

さらにいうと木澤佐登志さんの『ニック・ランドと新反動主義』（星海社新書）によれば、ニック・ランド自身も、「思弁的ホラー小説」とか、「コズミックホラー」を書いているらしいんですが、そのうちの一つである『Phyl-Undhu』（フィリー・アンデュー／二〇一四年）という小説の内容が、やっぱり『三体』の世界に似てるんですよ。

小説は、十一歳の娘スーザンが、ある没入型VRゲームにはまることで、人格が変貌し、彼女の歳では考えられない観念や哲学を抱くことになるところから始まるんですが、それが彼女の同級生にも感染し、うち一人を自殺未遂にまで追い込むことになる。不審に思った両親は、スーザンとVRゲームに参加し、のめり込んでいくんですが、そこで彼らが見たのは文明が滅んだ後の世界だった……という話なんです。その背後には、どうも「宇宙という〈外部〉から到来し、絶滅をもたらす者（根絶者）の待望」というランドの思想があるらしい。でも、それは嫌らしい選民思想だし、ありがちな黙示録主義ですよ。

川端▼それこそ與那覇潤さんが『中国化する日本』でいっていることですが、宋の時代に作られた中華文明のシステムというのは、そういうものですよね。既存の中間集団や文化的な秩序は壊して、強力な皇帝と、あとは、みんなが一律に同意できる普遍的イデオロギーがあれば、世界は技術的に統治できるんじゃないかという。それが「中華的イデオロギー」だとすると、まさに一貫した中国的世界観が、この本の軸にはやっぱりあることになる。

柴山▼この本が世界中で受けているということは、中国人だけでなく現代人全体のなかに、「暗黒啓蒙」的なものに共鳴する感性が出てきているということなんでしょう。

「リアル」の基準の全崩壊
――ダメ小説の典型

藤井▼この小説が好きな読者は、「読む」ことを通して、その小説の世界にリアルに自分をどっぷりとつけて、あれこれ考え、感じてみる、っていう読み方を何もしないんでしょうね。表層的な科学的記述や、文化大革命の物珍しさに目を奪われて、あるいは、現代文明に対する憤りや違和感を「三体派」に仮託したりして、単に娯楽として遊んでいるだけなんだと感じます。

　でも、典型的なダメ映画とかダメ小説もそうですが、少し考えるとつじつまが合わないことが山ほど出てくる。たとえば、「世界に対する絶望で世界を滅ぼそうとするけど、実はそれって自分の娘を殺すのと同じになってる」という話などが典型ですよね。だから、何の人間的リアリティも感じられないのが、この小説の特徴なわけです。でも、それが「売れている」というのだから、その現象自体が恐ろしいことであって、それは「暗黒啓蒙」の恐ろしさと完全に一致しているんだと思うんです。

柴山▼この作品を読みながら、「フィクションにおけるリアリズム」とはなんだろう、とずっと考えていたんですよね。

　先ほど藤井先生が、中国人の論文には味がないと言われましたが、経済学の分野でも、確かにイギリス人の優れた論文には科学のモデル――モデルというのは現実を単純化して要素間の関係を現すものだから、分かってしまえばどうということもないものなのですが――のなかに、結構リアルなものを感じ取ることができるんですよ。

　小説も同じで、フィクションだから所詮は嘘話なんだけど、それでもリアルだなと感じるものと、全然そう感じないものがある。では「リアル」とは何かというと、結局、事実とか現実とかという「モノ」に対する畏《おそ》れというか、こっちの想像力では動かすことができない「モノ」に対する感性なんじゃないかと。まさに「神が作ったモノ」というか、人間の卑小な想像力では変えることができない「世界」の圧倒的な屹立《きつりつ》というか。それが自然現象の性質を深く知ろうとする科学の探求心を生んだり、出来事の複雑な絡まり合いにフィクションを通じて向き合おうとする文学の表現力を育てる、ということがあるんじゃないかと。

　この小説に「リアル」なものが部分的にないわけじゃないけれど、やはり気に入らないのは、最後に「ソフォン」とかいう万能物質が出てきて、これを使えば人類の全てを監視できるというところです。そんなことは……（笑）。「サイエンス・フィクション」の一番大事な「サイエンス」を無視しているんです。「三体問題」はまだいいんです。でも、最後は万能物質が出てきて、網膜に映った数字も、宇宙背景放射の謎も全部そのおかげとかなると、リアルの基準が全崩壊して「結局、著者の妄想でしょ」となってしまうんですね。

物理学現象でしかない「不如意」「政治」「歴史」——現代中国人の感性

藤井▶理系的にいうと、「三体問題」は解けない問題として有名ですよね。この小説でも、やっぱり、その問題を解くということに焦点が当たっている。でも、逆にいえば、この小説に登場する人にとって、「人生の不如意とは何か?」というと「三体問題」でしかないんですよ。でも、人間にとって不如意なこととは、もっと広がりがあるものです。「女心と秋の空」みたいな卑近なものから、三島由紀夫が『豊饒の海』の最後のシーンで描いた聡子さんの佇まいに至るまで、何がどう動いているのかがまったくつかめない程に不如意なものがある。対して、この『三体』が描く不条理というのは、そういうものよりはもっともっと異次元に単純極まりないものです。単に物質的物理学的な問題でしかない。

つまり、この小説に出てくる人や、「暗黒啓蒙」や「中華未来主義」を語る人にとって不如意なものというのは、この「三体問題」にしか過ぎないんだと思う。だから、人間の精神のリアリティなんかが全くないんですね。

さらに自然科学的な側面でさえ、この三体の小説の議論はどうしようもない。たとえば、科学問題を解こうとするときに、「モンテカルロシミュレーション」とか、「ジェネティックアルゴリズム」(GA・遺伝的アルゴリズム)が出てくるんですが、それらは理系の人間からすると、かなり「下品」な方法ですよ。結局、「スーパーコンピューターを使って、力業で並列処理して計算したら、何かが出てきた」というような話なんですよ。複雑なものを複雑なまま力業で解くというもので、底の浅い方法なんです。科学にもいろんな流派があっていいんですが、普通は複雑なものをシンプルに描くからこそ、うっとりするくらいに美しく世界が描かれるわけですが、そういう志向性はこの作品には全くない。これは僕が、交通業界での中国人の論文に面白さを感じなかったことと、完全に同様の話です。底が浅い。

富岡▶主人公(葉文潔)の父が犠牲になった「文革」を要約した文章が冒頭に出てきますが、これはまさに藤井さんがおっしゃったことに通じている。

「恐怖と化したこういう戦場が、分散処理する無数のコンピューターさながら、北京各地に広がっていった。その演算のアウトプットが文化大革命だった。狂気は洪水となって北京を飲み込み、この大都市の小さな片隅やあらゆる隙間に浸透していった」。

これを読んだときに僕は唖然としましたね。こういうふうに文革を要約するのかと。これはメタファーでしか書けないからこう書いているという見方もあるとは思いますが、でも、実際に、歴史に対してこういうふうに書けてしまう現代中国人作家というのはどういうものなのかなという疑問は残る。

人物を「魅力的」に描けること／描けないこと——寸断された歴史のなかで

浜崎▼今の問題は、柴山さんがいった「リアルとは何か」と繋がりますね。

まさに僕たちは、想像力や計算では動かすことができない「モノ」や「他者」に直面するからこそ、そこで葛藤するんだし、感情的にもなる。そして、それを適切に反省しようとして、繊細な言葉使いを学ぼうともする。そこに文学のリアリティもあるはずなんですよ。

でも、『三体』の言葉は違いますね。「A＝B、B＝C、だからA＝C」みたいな話法で、システムの流れを書いているだけだから、生活世界の手触りが一切ないんです。そうすると、「思考」している感触がなくなるから、結局、この小説には「こんなふうに生きてみたい」と思わせるような劇的で魅力的な人物が一人も登場しないんですよ。しかし、それがまさに、「エコノミック・マシーン」と化した現代中国の現状を表しているのかもしれませんが。

川端▼背景からすれば魅力的になりうるはずの人物の、その魅力を途中で全部潰していくような作品ですよね（笑）。たとえば、文革で父親を殺された葉文潔が、後になって、自分の父親を殺した三人の元紅衛兵を学校のグラウンドに呼び出して、当時を振り返りながら言うわけです、「私は復讐がしたいわけじゃない。だけど少なくとも、少しは悪かったと懺悔してほしい」と。しかし、その三人は悔いたり謝ったりするどころか、「仕方ないじゃないか、俺たちだって大変なんだ」とか言うんで、文潔は「もうこいつらに期待するのはやめた」となって、地球滅亡を画策する三体協会の運動に進んでいく。

この「せめて謝ってほしい」という文潔の気持ちはよく分かる。後ろ向きに歴史を見ることができれば、そういう気持ちからたくさんの言葉を生み出せるはずなのに、それを曖昧にして、いきなり三体協会的な未来主義の方に行ってしまう。そのせいで非常に狭くて浅い物語になっている。もっと魅力的に描ける人物のはずなのに、もったいないなあと。

富岡▼歴史の連続性とか持続とか、時間の感覚みたいなものが、寸断されてしまっているというのかな。

川端▼あるいは、寸断することが正しいということになっているんですかね。

「科学の限界」に対する鈍感さ（1）
——科学主義の「野蛮」

柴山▼中国はAIがブームですよね。でもAIにはいろいろな側面があって、それこそチューリングとヴィトゲンシュタインの論争まで遡って、「人間と機械の根本的な違いは何か」というところまでくると面白いんだけれど、局所的な情報処理能力を異様に高めた装置をつくるというだけだと、人間や世界についての理解はそれほど深まらないですよね。

この小説で描かれている科学者像は非常に表面的で、こういう科学者ばっかりだったら正直いって怖くない。本当に恐ろしいのは、科学的思考が「科学の限界とは何か」というところまで行きつくときですよ。ヨーロッパが、なぜ今も知的な影響力を維持しているかというと、近代科学を生んだからでなく、科学の限界についての議論を積み重ねているからですね。それはおそらく宗教的伝統とも関係していて、物理学を論じながら神も論じるというのが、ヨーロッパ文化の奥深いところでもあり、恐ろしいところでもある。

でも、ここには「神」というか、超越性の感覚がないので怖くないんですよ。

浜崎▼むしろ、「科学＝神」みたいになっている。

藤井▼異星人が「神」だったり。

富岡▼西洋人は、自らが推し進めた近代化、科学化のなかで、シュペングラーだったり、ニーチェだったりが登場してきて「西洋の没落」を書けるという凄みがあるけど、この小説を読んでいる限り、そういう要素は中華文明にはないのかなと思います。

川端▼既存の理論では説明できないような現象に直面して、「科学の限界」を感じるという場面も出てきはしますが、それは結局、宇宙人の仕業だったみたいな（笑）。未知に対する畏れの感覚を描くのではなくて、宇宙人の「進んだ科学」が原因でしたという一番どうしようもない方に行く。

藤井▼日本人としても恥ずかしいと思うのは、日本の伝統文化、日本語の細やかさ、日本人の感情とは全く無関係なものが増えてきていて、そのなかで『三体』が日本で一一万部売れたり、世界で八〇〇万部売れたりしている。だとすれば、日本人、そして世界中の人々の感性自体が「野蛮さ」に共鳴しているというよりも、私たちの精神が弱体化され、中国的なるものに回収されていっている感じがするんですよね。

「中華未来主義」も「暗黒啓蒙」も、一種のニヒリズム運動だと思いますが、そんな虚無主義が、アメリカや日本の根無し草たちを、どんどん吸収していっているというところは、怖いなと思いますね。

「科学の限界」に対する鈍感さ（2）
——「疑似神」としての科学

柴山▼この小説で最初に違和感を持ったのは、優秀な物理学者でもある葉文潔の娘が自殺するじゃないですか。その理由が、なんと自分の信じていた科学の理論が絶対ではなかったからというんです。普通、これは自殺しないですよ。科学に限界があることは百も承知のはずだから。

浜崎▼そうなんですよ！　実は、この人、科学哲学とか何も知らないんですよ。

柴山▼科学はどこまでも仮説にすぎないってことは、科学者はみんな分かっている。それにアインシュタインが典型だけど、優れた科学者は宗教心を持っているか、言葉にしなくても濃厚に意識しているんですよね。彼らは世界の複雑さや、存在の不思議に魅せられているわけで、科学は「語りえないもの」とのギリギリの戦いなんです。でもこの本では、科学で解けたはずの問題が白紙に戻ると、科学者が次々に死ぬわけでしょ。それも宇宙人に操作されて（笑）。解けない現象にぶつかると、むしろ探求心が湧きたつはずなんだけどなあ、と思いましたね。そういう意味でも科学を非常に浅く捉えてしまっているのではないか。あるいは、そういうことが全部分かった上で、すさまじいニヒリズムで書いているのか、それは分かりませんけどね。

富岡▼すさまじいニヒリズムで書いているんだとしたら、ちょっと恐ろしいですね。

柴山▼超越性なんか要らないという、そういう開き直りだとすればすごい。

日本と中国(1)――「恒紀」と「乱紀」

藤井▼中国の「科学主義」、「未来主義」、「暗黒啓蒙」、「テクノロジー」なんかにどんどん日本やアメリカの根無し草たちが巻き込まれていくという構図があるときに象徴的だと思ったのは、ちょっと下世話な話になりますが（笑）、三体星人と戦おうとするときに、中国人民軍やCIAに加わって、日本の自衛隊が登場するシーンがあるでしょう。

「お、自衛隊も出てきた」と思って読んでいたら、何か非常に間抜けな戦略を提示して、アメリカに「そんなのありえないだろ」と突っ込まれて終わるという……。「二〇〇八年の時点でも自衛隊はこんな扱いなのか」と思いまして（笑）。バカなことを言ってアメリカ人にあしらわれて、さらに、そのアメリカを中国人が操るみたいな構造が、すでに描かれているというのが印象的でしたね。つまり中国のなかでは、日本はこういう「バカ」扱いになってるんだなと思いました。

川端▼そこでなるほどな、と思ったのは、三体世界のような過酷な環境下で一番強いのは、「冷静さと無感覚」を兼ね備えた文明であるというセリフが出てきますね。おそらく中国というのは、もともと「冷静さと無感覚」の資質を持たなければ生き抜けない過酷な土地柄なんでしょう。そして、その世界観に惹きつけられる日本人や西洋人が増えてきているんでしょうね。

そもそも「加速主義」というのは、中

国自身が推している思想ではなくて、西洋の左翼のなかの一つの流派です。彼らが、無感覚主義で行けば突破口が開けるんじゃないかと言っていて、それが何千年も続く中華文明の性格に似ているということだと思う。その意味では、中国人の筋金入りのニヒリズムっていうものには、ある種の敬意を払ってもいいところがある。年季が違うんです。

藤井▼「冷静さと無感覚」ということで言えば、秩序立った「恒紀」と、太陽が無茶苦茶に現れる「乱紀」が交互にやってくる三体宇宙の世界自体が、非常に中国的ですよね。

　特に「乱紀」の時には、「冷静さと無感覚」が必要だといわれていたけれど、考えてみれば、中国って、ずっと易姓革命をやってきて、それまでの秩序が全部キャンセルされるということが繰り返されてきた。今は習近平という「皇帝」がおられますが、それが、ある時には、毛沢東だったり、ある時は清朝の皇帝だったりしたわけで、中国人というのは、そのなかで「冷静さと無感覚」というものを身につけてやってきたんだと。

　その点、日本は「万世一系の皇室」をいただくという形で、ずっと「恒紀」なんですよ。そうすると、「乱紀」で生き抜いてきた奴らに食われて終わるという……「恒紀」でしか歴史を歩んでない日本は、「乱紀」を生き抜いてきた中国より圧倒的に「強靱性」（レジリエンス）が不足しているわけです。

日本と中国(2)
――「部分的滅亡」と「全的滅亡」

浜崎▼今の話で思い出したのは、華中戦線を転戦して、戦後に作家になった武田泰淳の『滅亡について』というエッセイですね。そのなかで泰淳は、「部分的滅亡」と「全的滅亡」という二つの概念を対比するんですが、前者が日本の滅亡で、後者が中国の滅亡なんですよ。

　日本の「部分的滅亡」というのは、「その個体の一部更新をうながす」という非常に甘やかで、詠嘆《えいたん》的な滅亡なんですが（笑）、対して中国の「全的滅亡」というのは、「ある種の全く未知のもの」を呼び寄せる滅亡だと言うんです。しかも、中国が、離婚と姦淫を繰り返してきた「成熟した女体の、男ずれした自信」を生きているのなら、日本は滅亡に対してはいまだに「処女」であり、あるいは、家庭内だけの性交に守られてきたのだと。

　そう考えると、やはり「滅亡」に対しての経験が圧倒的な中国文明のニヒリズムは恐ろしいですね。

富岡▼「滅亡について」は、武田泰淳が、上海で終戦を迎えた時の体験を書いたエッセイですよね。

柴山▼そうか、そうなると最後の「俺たちは虫けらとして戦うぞ」っていう台詞は、「俺たちは全的滅亡を生き延びるぞ」っていう、中国的サムウェアズの決意表明なのか。日本人はとっとと滅びるだろうけど（笑）。

藤井▼あれを言ったのって、すごく中国人っぽい人物ですもんね。

富岡▼中華民族の特徴はやっぱり、さっきの易姓革命ですよね。易姓革命だからこそ、疑似的にでも、神や皇帝を求めるということが必要なんですよ。「三体世界の元首皇帝がどんな外見なのか我々には分からないが、この世界の過酷な気候に堪えるよう、外界と厚い壁で隔てられていることは間違いない。ゲーム（三体に出てくるピラミッド）は一つの想像で、もう一つの可能性としては、それは地下深く建設されているかもしれない」と。これは秦の始皇帝の兵馬俑じゃないけどこういうところは昔から中国にある。

柴山▼こういうファンタジーとかＳＦほど、その民族の持っている想像力の原型みたいなものが出てくるというのはありますよね。秘密結社を作るのも中国らしい。宗教的結社を作って、外部と密かに交信を取りながら王朝をひっくり返す策謀を練るというね。

川端▼そういえば、三体ＶＲゲームのオフ会で、ヨーロッパ人がアステカ文明を滅ぼしたのは是か非かみたいな議論が始まって、ＩＴ会社の副社長と電力会社の役員は「いきなり侵略して滅ぼすのはやりすぎだったんじゃないか」と、ちょっとアステカに同情するんですね。するとこの二人は即刻、葉文潔によって追放されるんです。何か、新疆ウイグルとかチベットとか、そういう連中に同情を示すような奴は即「追放」みたいな話で、まさに中国的な世界観なんでしょう。

柴山▼革命に「情」は要らない、と。

「中華帝国」対「国民国家」の対立
――そのニヒリズムに抗して

富岡▼「冷静さと無感覚」か。そういう文明ならざる文明に、これから日本が飲み込まれていくとすると、やっぱりハンチントンの『文明の衝突』は当たっていたんですね。

　ハンチントンは、世界には七つないし八つの文明があり、一応、日本も中華文化圏とは別な、日本文化圏としてあるというんだけど、最後まで読むと、日本は中華文化圏に飲み込まれると書いてある。地政学的、政治的、軍事的に、冷戦以降の世界を詳しく予言しているんだけど、日本はアメリカに見捨てられて、中国の属国になっていくだろうと。これを今読むと、その通りになっています。アメリカは東アジアから退いて、日本は中華文化圏に飲み込まれていくと、かなり具体的に書いているんですよ。

柴山▼そうすると、どうなんでしょうか。二十世紀の大戦争は西欧との対決でした。濃厚な形而上学的背景を持った技術文明との対決だった。これから中華文明との衝突が始まるとすると、思想的には何との対決になるんだろうか。「形而上学を持たないニヒリズム」との対決になるのか……。

浜崎▼まさに「中華帝国」と「国民国

家」の対立になりそうですね。「帝国」は統治者と被統治者が分かれていても何の問題もないというか、むしろ、「冷静さと無感覚」による統治の方が効率的なんですが、「国民国家」というのは同胞愛や市民的理性がないと回らない。そう考えると、これは非常にニヒリスティックな功利主義「システム」と、歴史とか教養に価値を見出す「人間」との闘いになるのかもしれませんね。

川端▼與那覇さんの『中国化する日本』によれば、中国は帝国だけれど、皇帝はある種の普遍的イデオロギーを主張するという。しかしこれから中国政府がそれを示すのかというと相当怪しくて、もっと純粋なサバイバル主義というか、生き残ることだけを原理とした力の主張になってくるんじゃないか。儒教的な道徳も、西洋のリベラリズムもなくて、「純粋な力の肯定」に向かう感じがしますよね。

「芸術」の生まれない国
――伝統文化の「全的滅亡」

柴山▼武田泰淳の「滅亡」には、ロマン主義的な響きがまったくないじゃないですか。日本人のいう「滅亡」にはどこか甘美な響きがあるけど、そうじゃなく、端的に滅亡するだけ。

浜崎▼泰淳は、「それは日本人に理解できないほどであろう」って言っていますが、実際、平家の滅亡は「盛者必衰のことわり」を表すけれど、「全的滅亡」は歌にさえなりませんからね。

柴山▼我々は、そういう状態を想像できない。だから「部分的滅亡」と「全的滅亡」は程度の差異じゃなくて、本性の差異。平家滅亡とか徳川幕府滅亡とかいうレベルではなくて、「全的滅亡」はすさまじいんでしょうね。

富岡▼核兵器を持った毛沢東が、「アメリカと撃ち合いになっても、中国人は半分死んでもまだ五億人いるから大丈夫」と言ったけど、かなり本気で言っていたんじゃないかな。中国のリアリティとはそういうものだというところがある。

藤井▼「力だけある野蛮人」というとアメリカ人のことだろうと思っていたけれど、今の話を聞いていると、まだ中国人よりアメリカ人の方が話ができる気がしてきますね。

浜崎▼曲がりなりにも「民主主義」を建前にしてますからね。

川端▼最近、「なぜ中国にはいいバンドが生まれないのか」という、中国人の音楽評論家の文章を読んだんですが、その人はソ連と中国の違いを指摘していて面白かった。どちらも共産党支配ではありますが、ソ連の場合、西欧やアメリカの文化的な魅力に侵されないために、モンゴル等の支配地域内では民族文化、フォーク音楽を奨励したらしいんですよ。そのおかげもあって、お隣のモンゴルでは伝統音楽が生き永らえた。最近は、モンゴル・ロックが世界的に売れているらしいですね。その評論家が言うには、モンゴルには伝統音楽のベースが残ったのと、あとは中国資本によるバブルとその崩壊で経済が大打撃を受けたので、中国人に対するほとんど民族差別といっていいような怒りが噴出している。この、「伝統」と「怒り」の表現が許されているから、モンゴルには面白いバンドが出てくると言うんです。

　中国はもともと音楽を重視しない国である上に、伝統文化を根絶するのが中国共産党の方針でもあった。そして「怒りの表明」なんて当然、中国では許されない。だからこの『三体』も、いくつかの社会批評的なメッセージを読み取ることはできるものの、本当の怒りを感じない。感情の強度がある程度以上には高まらないから、味わいのある芸術作品にならないという感じですね。

富岡幸一郎（とみおか・こういちろう）

57年東京都生まれ。中央大学文学部仏文科卒業。在学中「意識の暗室」で『群像』新人文学賞優秀作受賞、評論家活動を開始する。現在、関東学院大学国際文化学部教授、鎌倉文学館館長。「表現者」顧問。著書に『内村鑑三』『仮面の神学　三島由紀夫論』『使徒的人間　カール・バルト』『非戦論』『新大東亜戦争肯定論』『千年残る日本語へ』『最後の思想　三島由紀夫と吉本隆明』『北の思想　一神教と日本人』『川端康成　魔界の文学』など。近著に『虚妄の「戦後」』（論創社）。

「中華未来主義」との対決
——日本人の自覚

富岡▼文学でいえば、司馬遷の『史記』とかもそうだけど、中国には「歴史書」というか、そういうものしかないんですね、基本的には。だから、「小説」はもうほとんどない。みんな知っているのは、近代中国で「国民国家」を作ろうとした時に出てきた魯迅。彼自身、これじゃどうしようもないってことで、「近代小説」をつくろうとしたんですよ。

　ただ、それは毛沢東革命以降、統制されてしまった。近代文学をやろうとした老舎っていうのも文革で自殺しているし、文学の芽は五十年足らずで摘み取られてしまった。

川端▼魯迅は、半分日本人みたいな感じがするじゃないですか。日本に留学していて、日本人や西洋人の感覚に近いところから、中国文化を批判的に描いているのが魯迅のスタイルですよね。中国に掘り起こすべき伝統文化があるというのではなく、それがないことの悲しさを語っているのが魯迅文学。

柴山▼やっぱり対抗するのは保守主義しかないんじゃないですか。向こうは伝統を持たないことが文明の強みなので。

浜崎▼こちらは、伝統でもって対抗するしかないと。

藤井▼アメリカよりもさらに恐ろしい敵ですよね。全く相互了解可能性がない。

柴山▼しかも、今の時代と合っている。この作品がヒットしているのも、それが理由ですね。「中華未来主義」は、半端なポストモダニストが驚くほどの完全なポストモダンかもしれない。ポストモダンは神がいないですからね。

富岡▼変なポストモダンも嫌だけど、ポストモダン化した中国人に飲み込まれるのはもっと嫌だね（笑）。

第5部 中国のプロパガンダ戦略に対抗する

世論をめぐる中国のパブリック・ディプロマシーの表裏

桒原響子
日本国際問題研究所研究員

なぜ中国は他国を威嚇する戦狼外交を展開するようになったのか。
中国の核心的利益を脅かす者は許さないという対外的メッセージが強化されている。

第5部各論考およびパネルディスカッションは二〇二一年七月一日開催のシンポジウムの内容を編集し収録した。

鳴りを潜めた「したたかな外交」

最近の中国は、新型コロナウイルスの発生源をめぐる議論や香港民主派の弾圧、新疆ウイグルでの人権侵害、尖閣諸島周辺海域における活動の活発化、南シナ海における軍事力の増強など、さまざまな対外行動が国際的に批判されている。

中国はこれまで積極的にパブリック・ディプロマシーを展開し、相手国の世論を味方につける外交努力を行ってきた。しかし、こうした「したたかな外交」は近年、鳴りを潜めたように見える。

また、世界的な動きとして今日では、新型コロナウイルスやワクチンに関する偽情報（ディスインフォメーション）が、拡散力の非常に強いソーシャルメディアを用いて拡散され、国際世論を動かし、社会の混乱や政情不安をもたらすようになっている。

パブリック・ディプロマシーとは、政府対政府という伝統的な外交ではなく、政府が文化交流や人的交流などを通じ、世論に直接働きかける新しい手法の一つである。自国の利益に資するべく、ターゲットに定めた国の世論に直接訴えることで相手を魅了し、相手国における自国のイメージを向上させる手法をさす。日本でも二〇一五年頃から第二次安倍政権のもとで取り組みが強化されるようになってきた。

世論に影響を及ぼす手段はさまざまだ。①大衆に対し社会心理学的な手法で特定の考え方や価値観を植え付ける組織的な活動である「プロパガンダ」、②相手国の態度や決断を自国の国益と目的を促進する方向に醸成するため、外交、軍事、経済などを統合・連携させる「影響力工作」、③自国の国益、政策、目的の促進に望ましい環境をもたらすために、相手の意見や態度を変えることを目的とした「戦略的コミュニケーション」、④偽情報や偏向ニュースを広範かつ意図的に拡散する「情報作戦」、⑤コンピューター・ネットワーク上の作戦や、電子戦、心理作戦、情報作戦など包括的な行動で、軍事力を使用せずに政治目的を達成する「情報戦」、⑥共通の政治目的を達成するために、国家および非国家の在来型手段と非在来型手段を巻き込んだ「ハイブリッド戦」などである。

では中国は、どのようなパブリック・ディプロマシーを展開しているのだろうか。簡単に紹介すると、国際放送として知られるＣＣＴＶやＣＧＴＮに代表されるメディア、文化交流や中国語教育機関として知られる孔子学院を通じた世論工作が代表例として挙げられる。そのほかにも大学や研究機関、民間企業による工作活動が行われており、それら活動には、統一戦線工作部によって世界中の華人が動員されていると言われる。

中国の目的は、相手国における対中好感度を向上させ、中国のプレゼンスを高め、「一つの中国」原則などを普及させることだ。安全保障の中でも中国共産党が最も大事にしているのが政治安全である。つまり中国共産党による一党体制を死守するために、海外からの政治安全に対する脅威に対しては、どのような手法を使ってでも対抗するということである。

近年、中国の対外行動は変容しており、世界で大流

桒原響子（くわはら・きょうこ）

93年生まれ。日本国際問題研究所研究員、未来工学研究所客員研究員、京都大学レジリエンス実践ユニット特任助教。大阪大学大学院国際公共政策研究科修士課程修了（国際公共政策）。笹川平和財団安全保障事業グループ研究員、外務省大臣官房戦略的対外発信拠点室外務事務官、未来工学研究所研究員を経て、現職。専門は、国際公共政策、パブリック・ディプロマシー、ストラテジック・コミュニケーション、メディア研究など。著書や共著に『なぜ日本の「正しさ」は世界に伝わらないのか　日中韓熾烈なイメージ戦』、『AFTER SHARP POWER 米中新冷戦の幕開け』。

行している中国製アプリTikTokなどを用いて、外国社会での情報活動を展開しているとされる。例えば米国では一カ月間にTikTokを使うユーザーが米国民の三分の一にも及ぶとされる。中国メディアの報道もナショナリスティックで好戦的になっており、国営新華社や中国共産党機関紙「人民日報」系の「環球時報」などは、新型コロナウイルスの対応をめぐってオーストラリアや米国、欧州を強く非難し、共産党指導部を称える報道を行っている。日本に対しても環球時報が脅迫まがいの社説を掲載した。さらには、戦狼外交官の登場や、ネットのモニタリングおよび世論操作を行う要員の活発化などが指摘されている。

多用される戦狼外交

特に注目されるのが戦狼外交である。趙立堅《ちょうりつけん》という中国外交部副報道局長は戦狼外交官の代表的な一人である（資料を参照）。彼は二〇二〇年二月下旬に中国外交部のスポークスマンに就任するや否や、国際社会に対して挑戦的な発言を繰り返した。また各国に駐在する中国の大使も強硬な発言を行うなど、好戦的な戦狼外交が広く展開されていることが報道されている。

ＳＮＳを用いた発信も好戦化しており、たとえば昨年末に趙立堅が自身のツイッターに、オーストラリア兵士がアフガニスタンの少年の首を斬りつけているような写真を投稿した。これは偽物の写真だったが、広く拡散され、中豪の外交関係が極端に悪化する原因になった。

中国はパンデミックに対する自らのイメージを回復するために、マスク外交やワクチン外交を展開している。その一方で好戦的姿勢を強めていると言うのは、これまでの中国のしたたかなパブリック・ディプロマシーとは趣を変えているように見える。少数民族に対する弾圧や人権侵害、南シナ海、東シナ海における活動の活発化は国際社会から激しく非難されているが、これに対して中国は強硬な反応を繰り返している。

日本との関係についてはどうか。今年四月、趙立堅は葛飾北斎の浮世絵「富嶽三十六景 神奈川沖浪裏」を福島第一原子力発電所の処理水と見立てて、日本政府の処理水海洋放出の決定を非難するツイートを流した。浮世絵は中国の若手のイラストレーターが模倣したものだとされる。波の後ろにある富士山は原発のような建物に描き変えられており、防護服に身を包んだ人間が、処理水らしきものを船から排水している姿が描かれていた。日本政府は削除を求めたが、趙立堅は「なぜ日本はたった一枚の絵に慌てふためくのか。日本政府こそ、間違った決定を撤回し、謝罪すべきだ」と強く牽制した。

「戦狼外交」とパブリック・ディプロマシー

・コロナ感染拡大と中国の「戦狼外交」
・戦狼外交官の登場
・以前のしたたかな外交の喪失？
・国際社会からの批判
　▷マスク外交、ワクチン外交
　▷ウイルスの発生源をめぐる議論
　▷人権侵害、少数民族弾圧
　▷尖閣諸島周辺海域における活動の活発化
　▷南シナ海の実効支配

資料

また同年四月、在京中国大使館が日本のツイッター・ユーザー向けに米国批判のツイートをした。死神が血の付いた鎌を振りかざし、イラク、リビア、シリアなどと書かれたドアに入った様子を描いているが、日本語で「米国が『民主』を持って来たら、こうなります」と説明されている。米国主導の民主主義を、日本の国民向けに非難したものである。

こうした中国の好戦的な対外行動に対し、欧米の対中感情は悪化の一途を辿っている。昨年米国のピュー・リサーチセンターが公表した世論調査では、先進国十四カ国の過半数で、対中観が過去に比べネガティブになったことが明らかになった。二〇一九年からの一年間で「好意的ではない」とする見方が急増したのだ。特に米国の対中観は過去最悪になり、七三%が「好意的ではない」と回答をしたと報告されている。

なぜ中国はこのように「嫌われ者」になっても、強硬な主張を展開し続けるのか。その背景には、中国の国際秩序に対する不満や危機感があると考えられている。習近平指導部は中国の外交を「中国の特色ある大国外交」と言う言葉で表している。「中華民族の偉大な復興」という中国の夢を実現するために、「平和的発展」の道を堅持しつつ、中国の核心的利益については断固として死守する。それを各国にも尊重するように求めているのが、現指導部の姿勢である。平和的発展の道を堅持するために、マスク外交、ワクチン外交に見られるような協調姿勢やアプローチをとりつつ、自国の核心的利益を犠牲にしないために戦狼的、好戦的アプローチをとる。中国はこの二つを使い分けているという見方がされている。

背景にある中国の危機感

今日の中国を取り巻く安全保障環境には、米中対立に起因するパワーバランスの変化によって大きな変化が起きている。中国指導部は「世界は百年に一度の未曾有の変化に直面している」という言葉で表しているが、現在の国際秩序に対して強い警戒感を持っている。足元では、新型コロナウイルス対策や経済成長の鈍化など国内問題が山積している。このため、「強い中国」を見せることで、国内世論の支持を取り付けなければならない。その意味でも、強制のアプローチである戦狼外交が強く打ち出さているというのが、現在の中国外交なのである。

この五月三十一日に習近平主席が出席した共産党の会議で、パブリック・ディプロマシーに関する言及があった。習近平は党の幹部に対して、中国は「愛される国」というイメージづくりに邁進《まいしん》しなければならないと述べたという。最近の強硬な対外行動によって、中国のイメージや評判が傷つき、国際社会からの批判が相次いでいるということへの対策ではないか、という見方が国内外で広く報じられた。

この「愛される国」発言は、果たして戦狼外交に終止符を打つものなのか。私の見立てでは、そうではない。中国は自らの核心的利益を脅かす海外からの圧力には、断固として立ち向かわなければならない。「愛される」というのは、中国が現在行っている政策や行動を対外的に正しく理解させるという意味ではないかと考えられるからだ。

新型コロナウイルスの世界的蔓延に伴い、人的交流による外交が難しくなり、デジタル外交が拡大、重要視されるようになった。さらにソーシャルメディアの普及によって、外国からの介入戦略が複雑になるなど、最近のパブリック・ディプロマシーを取り巻く環境は大きく変化している。

新型コロナウイルスのワクチンに関する中国やロシア発の偽情報が世界中に広まり、欧米でも大きな問題になっている。日本はこうした偽情報に対する対策や取り組みが不足している。日本は、政府組織の排他性ゆえに十分な取り組みを構築できていない。パブリック・ディプロマシー自体もソフトパワーに偏重する傾向があり、有効な戦略的行動がとれていないという問題もある。

中国は日本に対して、中国に対するポジティブな見方を醸成しつつ、日米離反を促して日米同盟を弱体化させることを最重要課題としている。

情報操作や世論操作は社会の混乱を企図した活動でもあり、これらの操作に続く武力行使の可能性も含めて、日本は対処しなければならない。

そのため日本は国家の強靭《きょうじん》性を高めるという自覚を持って、官民が一体となった横断的な取り組み、世論情勢の正確な分析を行い、安全保障の要素が欠落したパブリック・ディプロマシーを正していくことが大切だ。社会における情報の広がりや浸透を抑制することは非常に難しい。そのために一人ひとりが、しっかりした情報の価値の判断能力を身につけることが、最大の抑止力となる。情報リテラシーやメディアリテラシー向上のための教育、啓発活動、情報発信は今後、ますます重要になってくるだろう。

日本にパブリック・ディプロマシーは可能か？

本気で独立を求めない国がパブリック・ディプロマシーを実行できるのか。日本外交には大戦略が欠けている。

伊藤 貫 国際政治アナリスト

現在の日本に、パブリック・ディプロマシーは可能なのでしょうか。私はその可能性に関して悲観的です。パブリック・ディプロマシーとは、自国にグランド・ストラテジー（国家の最も基本的な戦略）があって初めて成り立つものです。しかし敗戦後の日本には、そのようなグランド・ストラテジーは存在しなかったのです。自民党や外務省や財務省が大好きな「吉田外交」とかいうものは、その本質において「日本はアメリカのprotectorate（保護領・属国）となって生き延びる。日本は自主防衛せず、戦勝国の軍隊に永久占領してもらう。騒々しい大衆選挙によって選ばれるアメリカの政治屋さんたちに、日本の重大な運命を決定する権限を預けておく」という体制です。このような無責任な国策を続けてきた国が、グランド・ストラテジーを持てるわけがありません。自国の独立と安全を自分たちで守る意欲すら欠けているprotectorateが、「パブリック・ディプロマシー」などという立派なものを実行できるのでしょうか？

米中覇権闘争は三十年続く

パブリック・ディプロマシーに関する議論をする前に、まず現在の国際情勢に関する基本的な解説をしましょう。現在の国際政治の最重要点は、「米国と中国が、今後三〇年くらい続く本格的な覇権闘争に入った」ということです。

過去五世紀間の国際政治史を見ると、ほぼ一世紀ごとに幾つかの大国が「世界最強の覇権国の座」を獲得しようと争ってきました。十六世紀後半〜十七世紀前半のハプスブルグ帝国、その後のフランス帝国、十九世紀初頭のナポレオン打倒後の大英帝国、第二次大戦以降のアメリカ等が、「世界最強の覇権国」の例です。そして二十一世紀になって中国が、アメリカの「世界覇権の地位」に挑戦しているのです。このような中国の振る舞いは、過去五世紀間の国際政治のパターンからみると、ノーマルな行動なのです。私はこの米中の覇権闘争は、二〇五〇年頃まで続くと思います。

この覇権闘争にアメリカが勝てるとしたら、そのチャンスは今から十年くらいの期間でしょう。アメリカがこの覇権闘争に勝ちたいのなら、今後十年以内に中国の経済成長率を、現在の年率五〜六%からゼロ%、もしくは二%程度にまで低下させる必要があります。

もし米中両国が、現在、世界銀行とＩＭＦによって予想されているスピードで二〇三〇年まで経済成長を続けるとしたら、二〇三〇年代の（為替レートで計測した）中国の名目経済規模は、アメリカの名目経済規模を上回ります。購買力で計測した中国の実質経済規模は、アメリカの実質規模の二倍になります。そのような事態になれば、二〇三〇年代の中国の軍事予算は（名目であれ実質であれ）アメリカの軍事予算を凌駕する規模となります。現在のアメリカの世界戦略は、「アメリカの軍事力によって、世界の三重要地域（ヨーロッパ・中東・東アジア）をすべて支配する」というものです。しかしこのような世界戦略を二〇三〇年代になっても米政府が維持するのは、不可能になります。し

伊藤　貫（いとう・かん）

1953年生まれ。東京大学経済学部卒。ワシントンD.Cのビジネス・コンサルティング会社、ロビイスト事務所などに勤務。主な著書に『中国の「核」が世界を制す』（PHP）『自滅するアメリカ帝国　日本よ　独立せよ』（文藝春秋）『歴史に残る外交三賢人　ビスマルク、タレーラン、ドゴール』（中央公論新社）など。

たがってアメリカは、世界最大規模の経済と軍事予算を持つようになる中国に押されて、じりじりとアジアから撤退していくことになるでしょう。

現在の中国の基本的戦略は、「米中両国の軍隊が、真正面から衝突する事態を避ける。しかし中国は辛抱強く着々と、東アジアと東南アジアにおいて『中国優位・アメリカ劣位』の態勢を築いていく」というものです。アメリカがこのような中国に対抗して、「中国封じ込め」政策を成功させることが出来るとしたら、そのチャンスは今から十年間です。二〇三〇年代になってアメリカが「中国封じ込め」を実行しようとしても、それが成功する可能性は低い。そうなれば非核状態で自衛能力を持たぬ日本は、徐々に「中国勢力圏」に吸収されていきます。

中国は前漢・後漢・唐・明・清等、その長い歴史において何度も巨大な勢力圏を構築してきました。したがって現在の中国人が、「我々は、もう一度巨大な帝国を築いて、東アジア・東南アジア・中央アジアを中国の勢力圏とする」という願望を抱くのは、ごく自然な心情です。彼らが、「我々は偉大な勢力圏を建設し、アメリカという西半球の覇権国をアジアから追放する。以前、中国を侵略した〝小日本〟を、中華帝国の属国とする」と考えているのは、(少なくとも中国人の視点からは)きわめてノーマルなGreat Politics(大国外交)なのです。

米中露のヘゲモニズム(覇権主義)

現在の世界でヘゲモン(hegemon＝覇権国)と言えるのは、アメリカ、中国、ロシアの三国だけです。世界は経済的には、日本、EU、インド等を含む六極構造と言えるかもしれません。しかしジオポリティカル(地政学的)には三極構造なのです。米中露は(本音レベルでは)ヘゲモンですから、自国の勢力圏を拡大したいと望み、打算的でアグレッシヴな外交・軍事政策を実行しています。三千年前から世界史に出現したヘゲモンとは、そういう性格なのです。

私は個人的には、ヘゲモニズム(覇権主義)というのは望ましい価値規範ではないと考えています。しかし現実に存在しているヘゲモンというのは、(残念ながら)没道徳的な存在なのです。アメリカも中国もロシアも、自国の国益を増強するためには平気で嘘をつき、国際法を破り、他の諸政府を騙し、他国・他民族に対して一方的な内政干渉と軍事介入を繰り返し、残酷な侵略戦争と戦争犯罪を実行してきました。私は国際政治の中心地であるワシントンＤＣに三十年以上住んでいるので、「ヘゲモンの没道徳性」という現実を、嫌というほど実感しています。

米中露三国とも口先では、ペラペラと立派な人道主義や理想主義を唱えます。しかしこれら三国の実際の外交行動は、冷酷で没道徳的です。これら諸国が本音レベルで望んでいることは、「国際政治と国際軍事のバランス・オブ・パワー（勢力均衡）情勢を、自国に有利な方向へ変更したい」ということです。このような野望を抱いている点において、米中露三ヘゲモンには何の違いもありません。これら三国にとってパブリック・ディプロマシーとは、自国の無道徳なヘゲモニズムをカバー・アップ（糊塗）する道具、つまり「聞こえの良い外交宣伝」にすぎないのです。

ワシントンの外交関係者は、「アメリカ外交のエッセンスは、Talk Wilsonian, Act Hegemonist だ」と言います（米政府は「ウィルソン主義者であるかのごとく議論する」が、現実には「覇権主義者として行動する」という意味）。ウィルソン主義というのは、第一次世界大戦時にウィルソン米大統領が喧伝した、「世界に民主主義と自由主義を拡めるアメリカ外交」のことです。ウィルソン主義は、「アメリカ外交は、他の諸大国のような覇権主義ではない。アメリカは世界に民主主義と自由主義を拡めようとする、道義的な大国なのだ」と宣伝する、アメリカにとって都合の良い〝理想主義〟なのです。

しかし過去二世紀間のアメリカ外交を見ると、その執拗な勢力圏拡大行為は、「世界に民主主義と自由主義を拡める道義的外交」であったとは言えません。十九世紀における北米大陸の原住民に対する苛烈で非情なジェノサイド行為、大量のアフリカ人の奴隷化、半分のメキシコ領土の強奪、キューバやフィリピンの民間人虐殺等から、二十一世紀における、イラク、イラン、シリア、アフガニスタン、ソマリア、イエメン、リビア、ウクライナ等に対する一方的な軍事干渉と侵略戦争に至るまで、アメリカの行動はお世辞にも、「世界に民主主義と自由主義を拡める道徳的なウィルソニアン外交であった」とは言えないものです。

（二十一世紀になっても米政府は、他の諸国に対する強引で一方的なレジーム・チェンジ〔体制転換〕外交を推進しています。アメリカによる一方的な内政介入と武力行使によって、世界の十数ヵ国で内戦や国家崩壊現象が生じています。最近の米政府のレジーム・チェンジ政策による他国の民間人の死亡者は、三百万人以上です。国際法違反の侵略戦争を実行したブッシュやオバマやヒラリー・クリントンは、自分たちが多数の他国の民間人を死亡させたことに関して、ただの一度も謝罪していません。覇権主義外交とは、そのようなものです。）

米中露三国は、常に理想主義的な外交レトリックを駆使します。しかしこれら諸国の国際行動の実態は、傲慢で没道徳的です。これら三国にとってパブリック・ディプロマシーは、「覇権外交を偽装するＰＲ」でしかないのです。

独立する意志なき日本に、外交説得力などない

現在の日本は、名目的には独立主権国ということになっています。しかし実態はアメリカの protectorate（保護領・属国）であるに過ぎず、真の独立国ではありません。

七十六年前に米軍が日本占領を開始した時、その占領政策の最重要項目は、「日本が、二度と独立した外交・軍事政策を実行できない国にする」というものでした。占領軍が押し付けてきた「憲法九条」は、そのための道具でした。この憲法は、日本が厳しい軍事占領下において、言論の自由と政治活動の自由を剥奪された状態で一方的に押し付けられたものですから、最初からレジティマシー（正統性・正当性・合法性）に欠けたものでした。

しかし日本人は現在でも、「戦勝軍が占領下において設定した憲法には、最初からレジティマシーが欠けている」という当たり前の議論をしません。護憲左翼の朝日・毎日・東京がこの議論から逃げているだけでなく、拝米保守の読売・産経・日経も、この議論からひたすら逃げています。自民党と野党も勿論、逃げます。「憲法九条には、最初からレジティマシーがない」ということを日本政府が公的に明言しなければ、日本は真の独立を回復できないのですが、保守も左翼もひたすら逃げるのです。何故ならば敗戦後の日本人は、「もう一度、独立した外交・軍事政策を実行できる能力を回復したい」とは思っていないからです。

敗戦後の日本の左翼と保守は、本音レベルでは、「日本はアメリカの protectorate で良いじゃないの。日本の安全保障なんていう面倒臭いことは、アメリカ

にやらせておけば良いんだよ」と思っています。それが、日本人の本音です。そのような国が勇ましい態度で、「我々は日本独自のパブリック・ディプロマシーを実行するのだ！」などと言明しても、他の諸国が本気にすると思いますか？

私がワシントンで会って議論する中国やロシアの外交官、マレーシアやインドネシアの外交官は、本音レベルでは日本のことを独立国だと思っていません。彼らは日本のことを、「アメリカにぺこぺこ頭を下げて、ひたすらしがみついているだけの国。カネ儲けのことだけ考えて、ただの一度も独立を回復する努力をしなかった国」と思っています。そのような卑怯で無責任な日本国の「パブリック・ディプロマシー」とかいうものを、本気にする国があるのでしょうか？

日露からみたパブリック・ディプロマシーの功罪

日本の広報外交《パブリック・ディプロマシー》を確立せよ

佐藤 優 作家

日本のパブリック・ディプロマシーが唯一、成功した事例は北方領土問題だ。しかし、その時の政治的思惑で行えば、悪魔を呼び起こす危険な結果を招く。

日本陸軍に似たロシアの手法

ロシアは世論概念も大衆概念も米国と異なる。パブリック・ディプロマシーに関しては、むしろ戦前の日本陸軍の概念を援用したほうがいいだろう。

日本陸軍のインテリジェンスは以下のように分かれていた。まず相手の秘匿する情報を相手に知られないように盗み取る「諜報」、二番目は情報を守る「防諜」、三番目が相手に影響を与えるように物事を陳述する「宣伝」。日本陸軍は英国型を採用したが、この詳細については徳川十五代将軍・慶喜の孫にあたる池田徳真が記した『日の丸アワー』や『プロパガンダ戦史』を読んでもらえれば分かるだろう。要は自分の弱点をできるだけ見せずに、強いところを強調するというやり方である。

四番目が「謀略」。現在では陰謀論のように理解されるが、そうではない。戦略に対しては謀略で対抗し、武器を使わない戦争のことを謀略と言った。それによって実力以上の成果を挙げることが要諦であり、陸軍中野学校では「謀略は誠なり」と教えていた。

以上のことを踏まえると、ロシアのパブリック・ディプロマシーというのは、旧日本軍の枠から見ると比較的、分かりやすい。実はロシアにはテキストがある。一九〇二年にレーニンが出した『何をなすべきか?』である。この著作の中でレーニンは「宣伝」と「煽動」とを分けている。「宣伝」は為政者やエリートに向けたもので、文書により論理を重視すること。それに対して「煽動」はアジテーション、大衆に向けて演説を中心として感情を煽《あお》るということである。たとえば共産主義者は無神論者だが、アジテーションのときには「共産主義は私にとって神みたいなものだ」というふうに言っても構わないとレーニンは述べている。一方、社会の構造を問題にするのは「宣伝」である。どこそこの工場で労働者がこんなにひどい目に遭わされている、などと感情を煽りたてるのは「煽動」

佐藤 優(さとう・まさる)

1960年生まれ。同志社大学大学院神学研究科修了後、外務省に入省。在英国日本国大使館、在ロシア日本国大使館勤務を経て外務省国際情報局分析第1課に勤務。2002年に背任と偽計業務妨害の容疑で逮捕。その後、文筆家として外交、インテリジェンス、宗教、哲学など、幅広い分野で執筆活動を行う。逮捕に至る内幕を書いた『国家の罠』(新潮社)など多数の著書がある。

だ。レーニンはこのような使い分けをしろと記している。

おそらくパブリック・ディプロマシーは、ロシアの言うアジテーションに近い手法だと思われる。戦前はコミンテルンがあって、その日本支部が日本共産党だった。それとは別に人民戦線が自然と生まれた。ソ連の出版物を読んで影響を受けたインテリたちが主唱した「日本型社会民主主義」である。ドイツやオーストリアの社会民主主義は基本的に反ソ、反共だ。マルクス主義であっても反ソである。例えばポーランド生まれのマルクス主義理論家、ローザ・ルクセンブルクもそうだった。彼女はロシア革命を認めていない。

それに対して日本の社会民主主義者はマルクス主義者で、共産党は嫌いだが親ソだった。山川均、向坂逸郎、猪俣津南雄などがそうである。こうした人たちが勝手にパブリック・ディプロマシーをやってくれた。また、資本論を日本で最初に訳し、その途中で「資本論は間違えている。寧《むし》ろ国家統制によってファシズムのようなことをやったほうがよい」と主張した高畠素之をはじめ石川準十郎ら国家社会主義者たちも、親ソだった。ソビエトは国家主義が強くファシズムに近いからだ。
日本陸軍にもそうした人物がいた。ハルピン特務機関長で、終戦時に関東軍参謀長だった秦彦三郎は一九三七年に『隣邦ロシア』という本を書き、ソ連は国力があり、魅力がある国だと称賛している。別にソ連が働きかけたわけではなく、秦が勝手に宣伝した。つまり親ソ的潮流は左翼だけでなく、国家社会主義者や軍の中にも存在したのである。

ロシアが警戒するナショナリズム

ソ連は（工作のために）ピンポイントでエリートに働きかけるのが主流の手法である。対象となるのは政治家、文化人、学者、ジャーナリストたちだ。一方、パブリック・ディプロマシーに近いのは、一つがモスクワ放送だ。『今日のソ連邦』という雑誌を作成して無料でソ連大使館広報部から配布したりした。アジア書房やノーボスチ通信社も、さまざまな日本語文献を出した。ターゲットとするのは、ソ連に関心を持ち親ソ的になってくれる人。具体的には社会党左派、社会主義協会の系譜の人たちである。その工作はある程度、成功した。

しかしソ連崩壊後、パブリック・ディプロマシーにつながる活動は、少なくとも日本に関しては非常に低調である。米国やＥＵ、とりわけドイツに対しては、ツイッターやフェースブックで展開しているが、日本についてはほとんど行っていない。「ロシアの声」がモスクワ放送の後継機関としてウエブサイトをつくり、現在は、スプートニクというサイトで情報を流しているくらいだ。

ロシアのパブリック・ディプロマシーの根本となる哲学については、アレクサンドル・カザコフという政治家が書いた『ウラジーミル・プーチンの大戦略』（東京堂書店）という本を読むと良く分かる。例えばロシアでナショナリズムが高まっているという人がいるが、そんなことはまったくない。むしろプーチン大統領の秘密警察はロシア・ナショナリズム的な運動を弾圧している。ロシア・ナショナリズムは冷戦崩壊後、西側が押し付けてきたものだ。もしロシアを国民国家に再編した場合、多民族国家のロシアはばらばらになってしまう。ナショナリズムはロシアにとって敵である。だからナショナリズムを押さえ込む方向で、プーチン政権は動いているのだ。

ロシア人はロシア語で二つの言い方がある。一つはルースキー。これは正教徒であるロシア人のことだ。これに対応するのがルーシだが、ほとんど使わない。それに対してロシアーニンと呼ばれるロシア人がいる。直訳するとロシア帝国臣民である。ロシアという帝国の中心は必ず人格化され、皇帝であれ大統領であれ、彼らに忠誠を誓うことで国がまとまる。ロシアーニンは、そういう帝国の臣民をさす。それに対応する国家名がロシアである。ロシアという名称は「帝国」であり、それを維持するためにナショナリズムは抑制されなければならないのである。

これはビザンツ帝国によく似ている。ビザンツ帝国が千数百年続いたのは、ビザンチン・コモンウェルスという言い方があるように、ネットワーク国家だったからだ。そうすると、ロシアにとって、日本ともネットワークで結ばれていることにメリットがある。これが北方領土問題に端的に表れている。

真実から乖離した活動は危うい

日本はパブリック・ディプロマシーが全然できていないと言うのが一般的な見方だ。ところが唯一、それが成功したのが北方領土問題だった。一九四五年から五一年まで日本政府の立場は歯舞群島と色丹島の二島返還だった。五一年のサンフランシスコ平和条約で日本は千島列島を放棄したが、吉田茂首相はその中には南千島が含まれることを前提とする発言をしていた。また西村熊雄条約局長は国会で明示的に「放棄した千島列島には南千島が含まれているが、歯舞諸島、色丹島は含まれていない」旨の答弁をしている。日本はいったん、国後島と択捉島は放棄したのだ。

外務省はその後、サンフランシスコ平和条約の署名国に対しては、日本は南千島を放棄したが、ソ連は条約に署名しなかったので適用されない、という論を展開する。しかし、そんな理屈は常識的に通用しない。

ではなぜ、そのような無理筋の論理を日本は展開したのか。当時、米国は沖縄を返還していなかった。米国は（冷戦が激化する中で）もし日本が歯舞、色丹だけの返還で日ソ平和条約を締結し、戦後処理を終えるというのなら、米国は沖縄を併合するぞと圧力をかけたのだ。

さらに重要なのは漁業の問題だ。北方四島と言っても択捉島周辺には、ろくな魚はいない。魚がいるのは歯舞、色丹島周辺だ。この二島の陸地面積は（北方四島全体の）七％に過ぎないが、返還された場合、二百海里で計算すると海は五二％広がり、漁獲高が大きく増える。

日本政府が恐れたのは、ソ連が歯舞、色丹島を引き渡す条約をつくったら、日本国内の親ソ機運が増して、社会主義革命が起きるのではないかと懸念したからである。それを阻止するために、絶対にソ連が受け入れられないような屁理屈をつくったのだ。当時は共産化を阻止するのが日本政府の至上命題であった。

我々は崩壊後のソ連の実態を知った。決して労働者にとって天国のような国ではなかった。そう考えれば、この反共政策は必ずしも間違いではなかった。

日本が四島返還と言い出したのは一九七五年、戦争が終わって三十年も経ってからだ。四島返還とか固有の領土というのは、比較的、最近になってつくられた用語だ。日本はパブリック・ディプロマシーの一環で、各国に地図ミッションを送り、北方四島がソ連領として描かれていると、地図を描き直すように文句をつけた。各国は事情がよくわからず、うるさいので地図を描き直した。さらに当時は中ソ対立が背景にあり、中国は日本の四島返還を支持すると表明していた。今もこれは中国の公式の立場だ。日本のパブリック・ディプロマシーは欧米や中国である程度成功した。

ところが困ったことが起きた。冷戦が終結し、現実的な問題解決に向けて歯舞、色丹島の返還をベースに交渉しようとしたとき、四島一括返還などと主張していたため、方針を転換させる世論形成ができなくなってしまった。そこで日本は、冷戦期に行っていたパブリック・ディプロマシーはそのままにしておいて、ロシアとの外交交渉においてだけ、現実的な（二島先行をベースとした返還）交渉を行っていた。その中で起きたのが二〇〇二年の鈴木宗男事件で、私も逮捕されたのである。

以来、二〇年近く経って安倍政権はもっと緩いスタンスで北方領土問題を解決しようとした。二島返還で国境線を画定し、国後、択捉島はロシアに優遇措置をとってくれればいいと言うくらいに姿勢を転換させた。しかし、国民の間にはまだそれを支持する世論は形成されていない。

そういう点からすると、パブリック・ディプロマシーを行うのはいいが、あまりにも実体と乖離《かいり》して、その時の政治的思惑でやってしまうと、中世の悪魔と一緒になってしまう。つまり悪魔を呼び出すのは比較的簡単だが、そのあとに悪魔を消し去るのはかなり大変な作業になるのだ。現在、台頭する中国を念頭に、ロシアとともにカウンターバランスを取るのは戦略的に当然、あり得るシナリオだ。しかし、ロシアに対する日本の世論の固さによって、それがやりにくくなっているという側面がある。

パブリック・ディプロマシーは正と負の両面を考えながら行っていくのが重要である。その時、カギになるのは、真実からできるだけ乖離しないようにすることだ。外務官僚や政治家は事実を曲げて真実を追求することをやりたがる。しかし極力、事実から乖離しない形でパブリック・ディプロマシーを展開するのが、中長期的に日本の国益に資すると信ずる。

第5部

パネルディスカッション

日本はいかにして自主独立を目指すべきか

佐藤 優×藤井聡×伊藤 貫×葉原響子

日本は本気で自国の安全保障を考えているのか。分裂が進む米国は巨大化する中国に軍事的に対抗していく意思を持ち続けられるのか。今こそ日本は真剣に議論しなければ手遅れになる。

正しい日本の姿の発信だけでよいのか

佐藤▼伊藤先生がご指摘されている自主独立はよく分かります。しかし、私たち外交実務を担当していた者からすると、それは日本外交の域を超えている話です。日米同盟の中にあってもニュアンスの差は日本外交の中にある。例えばイデオロギーのところまで高めている親米主義、それから中国と一定のバランスを取っていくというアジア主義的流れ、そしてロシアと一定の関係を改善していく勢力均衡的な発想です。

私はこれは終戦と関係していると思います。外務省という役所は意外かもしれませんが、非常に右翼的な役所です。

どういうことかというと、戦後処理のプロセスにおいて軍の連中は何をやっていたか、このまま最後まで戦い続ければ日本の国体は崩壊してしまうではないか。あるいは軍需省、企画院のエリートは何をやっていたのか、軍が怖くて何もできなかったではないか。そうした危うい中で、ポツダム宣言を「国体変更はなき」という了解のもとで受諾し、（日本に対する連合国の回答の中の文言）「subject to」を（天皇および日本国政府の国家統治の権限は、連合国最高司令官の）「制限の下に置かれる」という「誤訳」をし、間接占領の形式にして、国体を護持したのは我々だという思いが外務官僚にはある。こうした意識が戦後外務省の根本にあるわけです。

日本の外務官僚はある意味、去勢されていると言えますが、二度と日本の国体変更につながることはしないということは、すなわち米国とは戦わないということです。日米同盟とは日本の外交官にとっては「公理」であり、その予見の中でパブリック・ディプロマシーをやることがあります。そうすると、第三者的に見ると、米国のパブリック・ディプロマシーの補完勢力になるということです。

ロシアについては、私は覇権を狙っているとは見ていません。それほどロシア人はバカではない。自分たちがどれくらい弱くなったかという現実をよくわかっています。

さきほど、カザコフの本を紹介しましたが、その中に書かれています。ロシアは混乱の時代と言われる一九九〇年代、つまり欧米モデルに憧れた時代からわずか二十年の間に、国際舞台の第一線に戻ることができた。経済力が伸びたわけでも戦争があったわけでもない。それはプーチンの知力によるものである。その知力はイワン・イリインとかピョートル・ストルーヴェなどのロシアの保守思想に支えられているものだ。そこから出てきたのがビザンチン的なネットワーク国家だという議論です。

こうした議論はロシアの知識人の間に比較的、受け入れられやすいもので、ロシアの外交官たちもこういった理屈を上手に組み立てています。ですから、いわゆる覇権国家ということではない。ロシアは軍事覇権は目指していないのです。

そもそもロシア人にとって国境は線ではありません。国境線の向こう側に、ある程度、自由に動けるバッファーがないとロシア人は安心しません。国境の考え方が違うのです。そのあたりで米国が見ているとロシア観とロシア自身に内在している論理とはかなりの乖離があると感じています。

藤井▶日本の自主独立は至上命題です。我々が国土強靭化やデフレ脱却、消費税、安全安保、尖閣問題などを、一つひとつ取り組んでいるのは日本の自主独立を目指しているからです。自主独立は普通の理性ある日本人であれば皆、それを願ってる筈のものです。だから日米同盟、ひいては戦後レジームは確かに佐藤さんがおっしゃるように日本外交の現時点における「公理」ではあるだろうけど、それは永遠の公理ではない。それを内部からどうやって潰していくかという問題意識を持たなければならないと私は思います。日本のパブリック・ディプロマシー、PDも本来そういう視点で展開されるべきだと思いますが、外部省でPD担当だった桒原先生にご意見をお聞きしたいと思います。

桒原▶私が当時、安倍晋三政権下で日本のPDに携わってきた経験から、お話をしたいと思います。

第二次安倍政権が発足するや否や、日本の立場をしっかり世界に発信しなければならないのだということが、政府の方針として示されました。その背景にあったのが、二〇一二年の尖閣諸島の国有化に対する中国や、慰安婦問題をめぐる韓国による、米国を中心とした国際社会における激しい対日批判でした。中国や韓国は米国という主戦場で、日本の行動や主張を激しく非難する発信を繰り広げていました。例えば中国のチャイナ・デイリー社が発行する『チャイナ・ウォッチ』という広告を、ニューヨーク・タイムズだとかワシントン・ポストなどの主要紙に折り込み、しかも全く広告には見えないような紙面構成にして、あたかも米国メディアが「尖閣は中国の領土である」と主張しているように見える宣伝をしていました。また、韓国については慰安婦像を全米各地で建てて、その裏では中国の団体とも連携していたと言われていました。

そこで安倍政権は、海外で広まりつつあったこうした間違った情報に危機感を持ち、日本の「正しい姿」の発信をキーワードに、日本に関するあらゆる情報を対外発信することとに努力を払うことにしました。

パブリック・ディプロマシーの従来予算に五百億円が上乗せされ、年間七百億円規模の予算で活動を開始したわけです。

具体的には、領土・主権や歴史認識をめぐる日本の「正しい姿」の発信をはじめ、世界三都市に「ジャパン・ハウス」創設のほか、国内外のシンクタンクと連携、海外の日本研究の支援や、多様な日本の魅力の発信、知日派・親日派の育成活動などが展開されています。

他方、現在ではコロナ禍で人の交流などのパブリック・ディプロマシーが制限される中、ユーチューブでの発信や五輪・パラリンピック開催に向けて日本がいかにコロナ対策に力を入れているかということを、キャラクターなどを使ってポップな形で動画発信するなどの新たな努力が払われたりしています。

しかし、二十万人の慰安婦強制連行があったのかなかったのかということについて、「二十万人という数字は間違いだ」と海外に発信したところで、現地では大した意味をなしません。欧米を中心に人権がキーワードになっている時代に、細かい数字を並べて修正を図ったところで、問題の本質を議論することにはならないからです。寧《むし》ろ言い訳がましく聞こえるだけで、逆効果につながる事例もあったのです。

情報発信するポイントが国際社会の流れとずれているようでは、効果はマイナスになりかねないと私は思います。また、ソフトパワーを強化することで、相手国世論の好感度が向上したとしても、果たして安全保障面で協力すべきパートナーだと見なしてくれるのかなどは、ソフトパワー外交のみで得られる効果とは別の話です。そうした意味で、日本のパブリック・ディプロマシーはソフトパワーに偏りすぎているのではないかと懸念しています。

強い日本を望み始めたペンタゴン

藤井▼日本のやっていることは外交的意思もなく、他国からの外交による破壊を幾分修復、というより寧ろただ単にその破壊を軽減しようとしているだけにすぎません。計上されたPD経費の使いみちがないので取り敢えずジャパンハウスなどをつくって、日本の良さをアピールするようなぬるい対応しかできていない。もっと根本的なことをしなければならないのではないか。それが桒原先生の指摘されたことだと思います。

伊藤先生にお聞きしたいのですが、日本は確かに自主独立もなく、他国の外交官から子ども扱いされるような状況だということでした。私個人が期待しているのは、中米双方がヘゲモニーを獲得しようとしているその中間で、弱小国家の日本がうまく立ち回ることにより、他国の力を活用しながら自主独立が果たせないかということです。

どういうことかと言うと、このままでは日本は米中のダブル属国になりかねない。米国はかつての「ビンの蓋」論のように、日本を封じ込める政策をとってきたが、最近はロシアに代わって中国が強大になり、怖くなってきた。中国と戦うためには、藁をもつかむ思いという表現は言い過ぎかもしれませんが、日本の力を使いたいという思いが、米国の中で強くなって来ているのではないでしょうか。米国が「日本よ、もっと頑張れ」と働きかけるようなPDを展開して、外圧を使う形で自主独立を進めるような方法はないのでしょうか。

伊藤▶最近数年間のペンタゴン（国防総省）には、「日本にもっとまともな軍事力を持たせたほうが、アメリカの国益にプラスとなる」と主張する人が増えています。しかしそれは、ペンタゴンの話です。CIAと国務省のアジア担当官の多くは、「日本を真の独立国にしたくない」と考えています。彼らは、「自衛隊には、米軍に協力するために都合の良い武器を購入させる。米軍の補助部隊として機能する限り、自衛隊がある程度の軍事力を持つことを許す。しかしアメリカは、日本が自主防衛することを阻止する」という態度です。

なぜかというとCIAや国務省のアジア担当官の多くは、本音では、「日本人とは話が通じない」と思っているからです。私がプライベートな場で議論すると、彼らは「日本人に比べれば中国人や韓国人のほうが、まだ話が通じる」と言う。これが彼らの本音です。「日本人は、自分自身の考えを明瞭かつ論理的に説明しない。個々の日本人が腹の中でどう思っているのか、分かりにくい」と言うのです。つまり日本に対する根深い不信感があるのです。

私自身もしばしば、「日本人には哲学的なレベル、そしてパラダイム・レベルの思考力が欠けているのではないか」と感じます。過去七十年間の日本の政界や官界や言論界における護憲派・親米派・民族派（皇国派）の騒々しい外交議論には、哲学やパラダイム・レベルの深い思考力が欠けていました。

ＣＩＡと国務省のアジア担当官は、「日本の保守派の多くは、戦前、日本が中国大陸占領という大愚行を犯したことを反省していない」と感じています。日本の保守マスコミには、「日本は侵略などしていない！悪いのは中国と朝鮮だ！」という幼稚で感情的な議論が多いからです。勿論、左翼陣営の「護憲ごっこ」や「反戦ごっこ」も、幼稚で無責任な議論です。だから米政府は、「信用できない日本人が自主防衛することを、我々は阻止する」という態度なのです。

藤井▶ＣＩＡや国務省の中にも、ペンタゴンのように、日本にもっと軍事力を持たせるべきだと考える人が増えつつあるということはないのでしょうか。

伊藤▶過去半世紀間の国務省とＣＩＡには、親中派が圧倒的に多かった。オバマ政権時まで、親中派と親日派の比率は五対一くらいでした。しかし最近、米国の対中不信感が強くなっている。だからこれまで親中政策を熱心に主張してきた国務省とＣＩＡのキャリア官僚は、今までの親中路線をごまかそうとして焦っている（笑）。彼らは、自分のキャリアに傷がつくことを恐れています。しかし現在でも国務省・ＣＩＡのアジア担当官は、「敗戦後の日本人は無気力だから、今後も米国の言いなりになって政策決定するだけだろう」と見ています。

根本的に安全保障を考える努力が必要

佐藤▶日本の独立は絶対に必要です。いつかは実現しなければならないが、今は手が届かない。しかし、その目標を外してしまったら、外交にも何もならない。

例えば日ロ交渉で歯舞群島と色丹島が戻ってくるには、日米安保の適用除外をつくらなければならない。歯舞、色丹に（米軍）は展開しない。実はかつて北方領土交渉を必死でやろうとしたとき、当時の総合外交政策局総務課長、後に次官になった河相周夫氏に呼び出されたことがあります。彼はこう言いました。「君たちは本気で北方領土問題を解決しようとしているのか。そんなことをしたら米国との関係が無茶苦茶になるぞ」。脅しですよ。私は当時の丹波實外務審議官と東郷和彦欧亜局長にそれを報告しました。そうすると東郷さんにこう言われました。「バカが言うことはほおっておけ。こちらが勝てばいいんだから」。しかし、こっちが負けましたね。東郷さんは亡命せざるを得なくなったし、そして私は東京地検特捜部に逮捕されました。

米国からの自主性をどうやって獲得していくかということは、外交官にとって生命にかかわることにもなります。北朝鮮外交だってそうです。しかし、それをやめてしまったら日本の国はだめになってしまう。外務省の幹部クラスは日本の独立ということを真剣に考えています。国家安全保障局の連中だって、内閣情報調査局の連中だって、そんなに日本の官僚の愛国心は世間で言われているほど低くない。

ただ、榮原さんの話を聞いて、正しいことを伝えれば通用するなど言う、そんな稚拙なことを考えている外務省幹部がいたのかと驚きましたね。入省年次十年くらいの現場レベルだったらまだいいんです。安倍総理がやれと言うから（幹部らは）おもねった。（外交の現場は）正しいことを言えば通じるなどというような、そんな世界ではありません。「こういうやり方をしなければだめです」と、それくらいのことを言わないのかと思います。だから麻生太郎さんが外務大臣になったら『ゴルゴ13』を買いこみ、辞めたら捨てて、麻生さんが総理になったらまた買うという。そういう癖が出たと思いました。

藤井▼佐藤さんのお話を伺いながら思ったのは、故・西部邁先生が、安倍さんが総理になった時に、官邸に呼ばれてお話したことを西部先生から聞いたことです。西部先生はその時官邸で、ロシアとの関係は大事にしたほうがいい、これからアメリカの相対的なパクス・アメリカーナは崩れてくるんだから、隣国ロシアとうまくやっていくことが大事だと強く主張したそうです。もちろん西部先生は自主独立を狙っているわけですが、その自主独立において米国との関係は極めて重要であるけれども、そこに風穴を開けるためにロシアとの関係は非常に重要になる。だから、うまく立ち回ってほしいというメッセージを安倍総理に出したわけです。そのとき、安倍さんは何も言わなかったが、まんざらではない様子で聞いていたそうです。西部先生は「ひょっとすると頭の片隅で本当の事がちらっとわかっているところがあるのかもしれないよ」と言っていました。もちろんそれが西部先生の勘違いかもしれませんが（笑）。

榮原▼佐藤先生より、日本が「正しさ」を発信することを強調していたことについて、ご指摘がありました。外務省の公式の概算予算要求にも載っていますが、第二次安倍政権下、日本の「正しい姿」を発信するためにパブリック・ディプロマシー予算の一部を使おうということになっていました。最近では、公式文書からは「正しさ」を強調する文言がなくなりつつありますが、大まかな目標は、コロナという点を除けば、実は大きくは変わっていません。

米国の日本に対する期待値についてですが、中国の日本における浸透工作について米国からの関心が寄せられています。有識者や専門家との交流を通じて感じているのは、それは、米国は日本に対する協力という視点ではなく、日本のどういうところに中国の影響が及んでいるかを調べておく狙いがあることと、米国にとって日本がどこまで（外交・安全保障面で）有効に「使えるか」ということに関心があるのだろうということです。それが日本に対する米国の期待値を示唆していると思いました。

一方、最近ではパブリック・ディプロマシーや戦略的コミュニケーション分野において世界中で偽情報の拡散が問題となっていますが、欧州は、中国とロシアが偽情報を拡散しているという見方をしています。そのため、民主主義社会の強靭性を高めるという観点で、日本などと連携し、安全保障協力を強化したいという働きかけを行っています。

こうした時代にあっては、日本は、ソフトパワーに大きく偏ったパブリック・ディプロマシーから脱却しなければなりません。同時に、日米同盟が必ず機能する、欧州が協力を求めているからそれに乗っかろうといった受け身の考え方であってはいけないとも考えます。今後は、国際世論を含めた世界のあるゆる動きや、海外のアクターによる国内世論への脅威が多様化していることを分析しながら、どうやって海外の国々を動かしていくかというプロアクティブな考え方にシフトしていかなければなりません。つまり、もっと根本的かつ広い意味で、自国の安全保障を考えていくという努力が必要なのではないでしょうか。

分裂する米国は東アジアの覇権を維持できるのか

伊藤▼養老孟司さんが「表現者クライテリオン」七月号の対談で面白い発言をされてます。「最近、いつも思うのは（日本人は）誰も本気じゃないなって気がする。お前ら、本気でやってんのか」と。私はそれを読んで笑ってしまった。外国に住んでいる私も、日本のことを考えるたびに、「誰も本気じゃないな」と思うのです。この点では左翼も保守も同じです。

今から九年後、為替レートで計算した中国の名目経済規模は米国を超えます。実質経済規模は二倍になります。しかも米国の内政は、今後も混乱します。トランプがいなくなっても、国内の分裂現象は続きます。貧富の差が悪化しているだけではなく、人種的にも文化的にも価値観・道徳観のレベルでも、アメリカは分裂化している。三年前から米国の新規労働力は、非白人が過半数になりました。今後ますます、米社会の非白人化が進むのです。アメリカ人の価値観はさらにバラバラになって、醜いイガミ合いばかり繰り返す国民になるでしょう。

二〇三〇年代のアメリカ国内政治は、とても不安定になると思います。米政府は、「東アジア・欧州・中東の三重要地域を支配し続けたい」と考えています。しかし国内がますます不安定化するアメリカが、東アジアで覇権を維持できるのでしょうか。多くの米国民は、「世界最大の経済規模と国防予算を持つようになった中国と、軍事衝突したくない」と思うようになるでしょう。二〇三〇年代の米国が日本人を守るために対中戦争するのか、私は非常に怪しいと思います。

日本人の多くは、この理屈が分かるはずです。でも誰もそれを言わない。「十年後の米国に、対中戦争する意志と能力があるのか」という議論から逃げて、「日本外交に必要なのはソフトパワーだ」などとお喋りしている。日本人は本気じゃないのです。核兵器増産を続ける中朝露・三独裁国に包囲された今の日本に必要なのは、ソフトパワーなのですか。

日本人は、「自分たちで自国を守る」という努力からひたすら逃げている。パブリック・ディプロマシーも同盟関係も大切ですが、それより前に、「日本人は、自国の安全保障を自分で確保する意志があるのか」と問いたい。その意志が欠けているのなら、どんなに聞こえの良い外交PRをやってみせても、二〇三〇年代の日本は窮地に追い込まれるのです。

藤井▼日本の大目標は日本がきちんと成長し、強い国家となって自主独立するということです。その上でしっかり日本が守るべきものは守る、それが日本のビジョンだと思います。それを本気で考えてPDの一つひとつのプロジェクトを開発する。

中国は早ければ二〇二〇年代後半には米国を名目経済規模で抜くかもしれないという状況の中で、米国は国内でもＣＩＡや国務省の中でも混乱がある。米国の国内状況はこれからも混乱が続く。もし、日本人が真剣な大人の外交戦略があるのなら、日本に「自主独立しろ」と応援してくれるような外交圧力をかける状況をつくり出すことは不可能ではないはずです。なぜならペンタゴンの一部がそういう方向に動いている。日本が国力を高めていけば「東アジアは日本がやってくれ」ということになるかもしれない。私はそこに一縷の望みをかけたいと思います。今日はありがとうございました。

初出一覧

第1部
ポストコロナ 中国化する世界
與那覇潤、藤井聡、柴山桂太、浜崎洋介、川端祐一郎
――表現者クライテリオン2020年5月号

第2部
本当の中国を知らない日本人
東アジアの中国と日本
岡本隆司 (聞き手)藤井聡
――表現者クライテリオン2021年3月号(前半)

第3部
新たな「形態」としての中国
没落する西洋と躍進する中国 木澤佐登志
機械化のネクロフィリア 「未来主義」とその周辺 浜崎洋介
中央アジアに見る中華「現在」主義 宇山智彦
共産党支配をめぐる思想闘争
現代中国における「新権威主義」体制から「新全体主義」体制への移行 石井知章
――表現者クライテリオン2020年5月号
敗北を招いた日本の対中平成外交
中国の地政学的な長期戦略をなぜ見抜けなかったか 遠藤誉
再考すべき日本の島嶼防衛 迫り来る中国の脅威に備えて 山田吉彦
――表現者クライテリオン2019年7月号
東アジアの「戦争」は始まっている 柴山桂太
――表現者クライテリオン2020年1月号

第4部
現代中国の「想像力」を読む
文学座談会 劉慈欣『三体』をめぐって
富岡幸一郎、藤井聡、柴山桂太、浜崎洋介、川端祐一郎
――表現者クライテリオン2020年5月号

別冊クライテリオン
criterion
「中華未来主義」との対決

2021年9月1日 第1刷発行

発行所 ビジネス社
〒162-0805
東京都新宿区矢来町114
神楽坂高橋ビル5階
TEL 03-5227-1602
FAX 03-5227-1603
http://www.business-sha.co.jp

『表現者クライテリオン』
編集長 藤井聡
顧問 富岡幸一郎
編集委員 柴山桂太
浜崎洋介
川端祐一郎
発行人 漆原亮太
編集 株式会社啓文社 漆原亮太+荒井南帆
宇都宮尚志
ブックデザイン 芦澤泰偉+五十嵐徹(芦澤泰偉事務所)
DTP 茂呂田剛(エムアンドケイ)
写真 佐藤雄治/漆原亮太
印刷所 株式会社光邦

※本誌掲載記事・図版・写真等の無断転載を禁じます。
乱丁・落丁本はお取り替えいたします。

本書の内容に関する問い合わせは啓文社書房までお願いします。
TEL：03-6709-8872

ISBN978-4-8284-2306-7